L'heure
hybride

Direction éditoriale : Jutta Hepke
Direction artistique : Gilles Colleu
Conception et réalisation de la couverture
    et de l'intérieur : Ici & ailleurs
Corrections : Liliane Dutrait

ISBN : 2-911412-36-2
© Vents d'ailleurs/Ici & ailleurs, 2005
Mél. : info@ventsdailleurs.com
www.ventsdailleurs.com

Kettly Mars

L'heure
hybride

Vents d'ailleurs

Préface

Port-au-Prince 2005, la longue litanie des exactions continue... On se souvient de Duvalier Père et fils, Papa Doc et Baby Doc, les Tontons macoutes, vingt-neuf années de terreur organisée, Fort-Dimanche déborde de prisonniers mais l'ordre règne dans la cité. On se souvient de la fuite de Baby Doc avec les valises bourrées de billets verts. S'ouvre alors une étrange période de calme, un espace de silence relatif après les vastes turbulences, beaucoup d'intellectuels en font la remarque, mais personne ne profite réellement de ce moment rare... Arrive le petit prêtre, «la voix des sans-voix», le père salésien qui remue les foules. Jean-Bertrand Aristide est élu démocratiquement, en décembre 1990, un exploit. Les tribus de «Lavalas» ont réussi leur coup. «Lavalas», en créole, c'est ce torrent impétueux, né de l'orage, qui racle tout sur son passage, qui fait place nette. Tout le monde y croit... et puis, ce sont à nouveau les magouilles, les tromperies, les trahisons, les tentatives d'assassinat. Moins d'un an après son élection, Aristide s'enfuit devant un nouveau coup d'État. Répressions sanglantes, réactions en chaîne, exécutions sommaires, règlements de comptes, massacre à Cité-Soleil : plus de cinq cents morts, trois mille boat people, blocus, la loi des voyous s'installe. Port-au-Prince croule sous les fatras. La junte de Raoul Cédras fera presque autant de morts et de «disparus» que l'époque Duvalier, mais en beaucoup moins de temps... Septembre 1994, Washington déploie quinze mille GI's dans la ville, opération baptisée «Invasion pacifique» (tout l'humour de l'oxymore!), mais laisse tranquillement se dérouler les tueries entre «attachés» et «lavalassiens». Aristide rentre au pays en octobre, après plus de trois ans d'exil forcé. Le parti Lavalas se déchire et les bandes ennemies s'affrontent à main armée dans la ville. Aristide habite maintenant sa luxueuse villa de Tabarre, le quartier ultra-chic, tout récemment jaillie de terre grâce à l'aide internationale. Il n'attend pas longtemps, tout a été très bien organisé : aux élections législatives de mai 2000, c'est un festival de fraudes en tout genre qui se répercutera également sur les présidentielles. Aristide – dit «Titid» – est élu avec 91,7 % des voix mais avec une squelettique participation électorale. On se souvient alors du score de Duvalier lors de son referendum du 31 janvier 1971 : 100 %. S'ensuit une période de marasme encore jamais atteinte en Haïti, fuite des touristes, débandade des capitaux, scandales politico-financiers, gaspillage de fonds publics, corruption généralisée... L'anarchie peut donner libre cours à tous les débordements. Lorsque Aristide s'enfuit à son tour en février 2004, il laisse un pays en pleine dérive, les rues de Port-au-Prince sont aux mains des «chimères», des bandes de jeunes munis d'armes de poing qui tiennent les carrefours, s'attaquant aux passants, enlevant des otages pour réclamer des rançons, assassinant par jeu, torturant et exécutant les quelques journalistes qui continuent à vouloir informer… un pays en guerre civile.

Mais il faut bien continuer à essayer de vivre, au jour le jour, travailler, trouver de quoi manger, s'occuper de sa famille, prendre le temps de dormir. Certains même écrivent. Kettly Mars est de ceux-là. Comme c'est le cas pour beaucoup en Haïti, elle a commencé par la poésie, une poésie intimiste mêlant sentiments et sensualité, bourdonnant d'infimes détails tissant ces liens secrets entre les objets et les gens. Elle dit volontiers avoir pris le stylo « pour devenir enfin adulte ». Et elle s'est elle-même prise au piège. En 1997 paraît un premier recueil de poèmes *Feu de miel,* qui sera suivi d'un second en 2001, *Feulements et sanglots.* Elle aborde aussi la nouvelle, on la sent prudente, on dirait qu'elle s'entraîne. Avant le grand saut vers le roman. Sort d'abord *Un parfum d'encens* en 1999, puis *Mirage-hôtel* en 2002. Elle obtient le prix Jacques-Stephen Alexis pour la nouvelle *Soleils contraires* dans laquelle elle met en scène un jeune homme originaire du Nord-Ouest qui s'apprête à tenter l'aventure des boat people pour sauver sa famille de la famine. Elle travaille aussi, avec Paulette Poujol, à un projet d'anthologie des écritures féminines en Haïti de 1804 à 2004.

Kasalé, son premier roman, paru à Port-au-Prince chez L'Imprimeur II en mai 2003, raconte la chronique d'un village dont le pilier est Gran'n, très vieille femme, hounsi douée des pouvoirs de guérison. Autour d'elle s'activent d'autres femmes, de tous âges. C'est un roman très vivant, grouillant des personnages saisis sur le vif, un hymne à la féminité mais aussi à la gloire de ces femmes de la campagne qui portent souvent tout sur leurs épaules. Une histoire dans la lignée des romans dits « paysans » qui nous apprennent une foule de détails sur la vie quotidienne haïtienne. Son deuxième roman, *L'heure hybride,* terminé, Kettly avance déjà dans un autre projet, une histoire qui trouve sa source dans une aventure réelle, située au début du XXᵉ siècle entre Haïti et New York, avec des fumées, des bateaux, des alcools, des femmes fatales, des aventuriers, des hommes du monde, des dollars et des armes…

Dans *L'heure hybride,* Kettly Mars ose un tout nouveau registre. Elle, si épanouie dans sa féminité, si rayonnante dans sa séduction, se glisse dans la peau d'un homme (un homme à femmes évidemment) et le « je » du narrateur, lorsque l'on connaît l'auteur, devient infiniment troublant. « Dans ce roman, m'a-t-elle avoué, il y a autant d'invention que de vérité, je ne sais plus où commence l'une et où finit l'autre. Je n'ai voulu dire ni du bien ni du mal *des* hommes, mais dire la vérité *d'un* homme. Cette tranche de vie était aussi une occasion de parler d'un temps où l'inconscience et l'insouciance collectives d'une société ont atteint leur apogée ». Le temps du récit est justement cette période évoquée plus haut, coïncidant avec la fin du régime de Jean-Claude Duvalier, qui, pour l'auteur, « est un moment contenant en gestation les déboires que nous allions vivre après la dictature ». Le roman se déroule durant la tentative de libéralisation jean-claudiste. C'est une époque où le capitalisme international voit d'un bon œil l'occasion de faire d'Haïti un ersatz de Taiwan caraïbe et commence à installer l'industrie de la sous-traitance. Des fonds colossaux sont débloqués et investis dans ce but. On pense sérieusement atteindre en peu de temps un mode de vie de qualité occidentale. L'objectif ne sera jamais atteint tant la corruption du régime est féroce. Kettly Mars précise que, pour elle, « *L'heure hybride* est aussi l'histoire des passions, des souffrances, de l'inconscience des gens des différentes classes sociales confrontés aux contradictions d'une globalisation balbutiante dans l'Haïti de Baby Doc ».

Dans ce roman percutant, l'écriture s'affirme, prend son poids, marque. Kettly Mars écrit, encore, dès que la vie lui laisse un répit, dans cette ville si attachante devenue par la folie des hommes un résumé d'enfer. « Nous tenons bon », dit-elle simplement. *Cinq heures trente-cinq. Je soulève lentement les paupières.* Belle heure pour commencer un roman.

Philippe Bernard

Cinq heures trente-cinq. Je soulève lentement les paupières. Je prends toujours soin d'éviter à mes rétines l'agression d'un passage trop brusque à la lumière. L'horloge sur le mur en face me regarde de son gros œil impassible. Il est temps de secouer ma carcasse. Comme chaque jour, à ce moment de l'après-midi, le crachotement du transistor de Félix m'a tiré de ma léthargie. Étranges, tous ces bruits, ces odeurs, ces nuances de lumière qui ponctuent ma journée, règlent ma vie et me connectent au monde extérieur. Chaque heure a sa bruyance, ses modulations et sa luminosité. Dans ma chambre arrivent à longueur de journée des bouffées de sons, des pulsions rythmées qui me renseignent sur le temps mieux que les aiguilles d'une montre. Il y a le chant impulsif des pneus sur l'asphalte, les klaxons nerveux des taxis, le bourdonnement des voix qui gagne en acuité avec le soleil, le froissement des feuilles, le souffle blanc de la chaleur, celui rose du désir naissant. Me parviennent aussi parfois des murmures aux couleurs indécises ou bien des chuchotements enrobés de nuit. Mais ceux-là s'échappent peut-être de mon enfance ou de mes insomnies, je ne sais plus.

Plus que deux petites heures de repos avant de me mettre en branle. Il a fait horriblement chaud aujourd'hui. J'ai passé la journée sur mon lit tiède, nu comme un ver, les yeux fermés, à fumer une cigarette après l'autre, économisant mes moindres gestes pour ne pas exacerber ma gueule de bois. Des traînées de cendre maculent mes draps. Les mégots qui jonchent le parquet attendent en vain un coup de balai. La serviette mouillée posée en travers de mon front a dessiné une grande tache sombre en dégoulinant sur la taie d'oreiller, comme si tout le sang de ma tête s'était vidé. Je suis rentré à l'aube. Je ne dois pas être beau à voir. D'une semaine à l'autre, les jeudis soirs chez Patrice prennent une tournure carrément orgiaque. Alcools… fumées… corps mélangés… sens confondus… Je devrais arrêter de fréquenter Patrice et sa clique d'artistes, au moins pour un temps. Tout ce beau monde est pourri jusqu'à l'os. Je sombre lentement dans la déliquescence… Je ne veux plus jamais refaire l'expérience d'hier soir, plus jamais. Mon Dieu!… je ne me serais jamais cru capable de cette charge de violence. Je refuse même d'y penser. M'arrêter… m'arrêter… oui… mais… plus facile à dire qu'à faire. Le salon de Patrice est le terrain de chasse par excellence de la ville, le gibier abonde et les rencontres y sont souvent très lucratives. Bon… on verra… encore sept jours jusqu'à jeudi prochain. J'ai encore du temps pour me décider.

Je respire mieux maintenant… J'ai attendu des heures la petite brise coulant enfin par la fenêtre de ma chambre. Elle m'apporte, avec un peu de fraîcheur, les notes trébuchantes de la chaude mérengué que Félix savoure. Comme pour me rappeler que l'instant bascule. La journée change de cap. Une autre vie va commencer. La lumière du jour est encore vive mais mon œil exercé perçoit déjà sa fêlure. Comme pour un félin, ma vision devient meilleure avec la clarté qui se fane. En fait, souvent je sens plus que je ne vois l'approche du soir. L'ombre adoucie des choses me semble alors fécondée de promesses. L'heure a atteint sa cime et, saturée de soleil, commence sa descente vers la nuit. Je connais bien cette cassure du jour. Je la sais à toutes les saisons, aux jours pressés de décembre comme aux longs soleils du plein été, même quand il pleut. A cet appel de la nuit perçu de moi seul, je me réveille peu à peu. Mes malaises disparaissent comme par enchantement. Toutes les parts de moi dissoutes par l'alcool, les veilles et la canicule réintègrent leur place. Je ramasse mes miettes, me reconstitue. Le moment approche où je vais commencer à vivre, à courir les avenues de la nuit. J'existe la nuit. Dans un espace où les frontières deviennent floues, dans la pénombre qui atténue les défauts, maquille les imperfections, dissimule les troubles. Je fonctionne dans la partie sombre du jour, avec la complicité de l'ombre. Je m'y noie, je m'y retrouve. J'aime la nuit, elle rend plus belles et plus chaudes les femmes. Dormir à l'heure où les étoiles me font des clins d'œil serait un crime.

Dans la lumière fissurée, je pense à ma mère. Elle aussi renaissait à la vie vers cette heure, tel un bouton de fleur crépusculaire dont les pétales se descellent un à un. C'était l'instant du rituel de sa toilette dans le cabinet étroit, avec deux seaux d'eau chauffés toute la journée au soleil. Toujours avec la savonnette rose Camay qui porte en médaillon une femme à la beauté de madone. Aussi belle que Maman. Je revois encore les gouttes d'eau, petites étoiles d'avant la nuit, perlant sur sa peau fraîche. J'ai dans les narines la délicate fragrance du talc dont elle parfumait son corps. Un corps aux rondeurs fermes, avec assez d'embonpoint pour plaire aux hommes de son temps. Je me souviens de nos soupers hâtifs, avant l'arrivée de ses amis. C'était l'heure où je mourais un peu de la perdre. L'heure où l'ombre me prenant à la gorge m'engageait dans une lutte inégale contre ma peur. Mais tout cela est bien loin déjà. Je n'ai plus de mère, il ne me reste que la nuit pour exorciser cette part d'elle dont le manque habite encore mes jours.

Après sa toilette, Félix a endossé son dolman de majordome. Je l'ai suivi dans ma demi-conscience à travers la traînée de bruits attachée à ses pas : le giclement de l'eau envoyée à grands godets sur son corps nu, derrière le manguier touffu au fond de la cour, le lapement feutré de la terre buvant l'eau retombée, le flop-flop visqueux de ses pieds mouillés dans les sandales de caoutchouc suivi du grincement du gond de la porte. Là, je l'ai perdu un instant, pour le retrouver quand il a refermé la porte de sa chambrette dont la serrure se verrouille à trois tours bruyants.

Chaque après-midi sur le coup de cinq heures trente, Félix prend ses quartiers sous ma fenêtre, son vieux transistor sur les genoux. C'est son moment de détente, après les tâches de la journée. Il se balade sur l'écran de sa petite radio, glanant d'une station à l'autre les nouvelles du temps. Jusqu'à six heures quarante-cinq, heure à laquelle il regagne la maison pour balayer la salle à manger, essuyer les meubles et dresser le couvert sur l'immense table en chêne, avant de commencer, raide et muet, le service du souper à huit heures précises. Je m'amuse toujours de ce protocole désuet auquel tient tellement la patronne de la pension. Les murs de la vieille gingerbread se lézardent, les moulures de plâtre des plafonds craquent, les termites mangent le bois des planchers, mais madame tient à son prestige de veuve de magistrat obligée de tenir pension pour vivre.

Pendant plus d'une heure, au gré des caprices de la brise et de l'humeur de Félix, me parviennent mezza voce bulletins d'information, publicités pour boissons gazeuses, pommades éclairantes pour la peau ou derniers modèles de voitures japonaises. Félix a aussi un faible pour la musique de l'orchestre Tropicana et les roucoulements des chanteurs mexicains de ranchera. Le tout entrecoupé de silences, des halètements de la rue et des parasites de l'appareil. Ce programme vespéral m'a agacé au début. J'ai pensé en parler à Félix et lui demander de trouver un autre coin pour sa balade sur les ondes. Mais il est un bon vieux bougre, Félix. Ma proximité a sûrement motivé le choix de son lieu de détente et sa radio renouvelle notre tacite complicité. Il m'aime bien. J'apprécie aussi sa perspicacité et sa taciturne sagesse. On se comprend des yeux. Félix fait celui qui ne voit pas quand des amies se faufilent en douce dans ma chambre, bravant les interdits formels de la patronne. Alors j'ai enduré quelques jours l'agression sonore. Puis j'ai constaté son utilité car elle me réveille complètement à une heure idéale de l'après-midi. Ce moment d'écoute forcé me remet sur la selle de la vie active, à l'orée de la nuit. Mon oreille s'est attelée à décanter les bruits, à filtrer les sons, à différencier leurs origines. Un exercice d'attention intéressant en somme. Et puis encore, je me suis surpris à anticiper les nouvelles qui me parviennent par à-coups, à suivre au jour le jour leur évolution, leur tournure et leur courbe. Les nouvelles comme des nuages filent de façon à peine perceptible, mais dans une mouvance sûre obscurcissent l'horizon du temps, en prélude à des jours de turbulence et d'angoisse. Moi, Rico L'Hermitte, je le dis.

Je me nomme Jean François Éric L'Hermitte, profession gigolo. Mes amis et mes maîtresses m'appellent Rico. Jean François Éric L'Hermitte, un nom à résonance bourgeoise toujours bienvenu dans les cercles huppés du haut de la ville auxquels il m'a ouvert l'accès, comme dans les quartiers fangeux de la périphérie où mon patronyme impose le respect. Le nom, élément essentiel pour la survie d'un homme auquel au moment de sa naissance le destin n'a pas mis une cuillère d'argent à la bouche. Mon nom est ma carte de visite, ma clé passe-partout, mon sésame ouvre-toi. Je connais bien le réflexe immanquable des gens de la bonne société au moment des présentations. Ils écoutent mon nom, hésitent un instant en me dévisageant, puis me serrent la main un peu plus chaleureusement en me demandant quel lien de parenté m'unit à un tel L'Hermitte, le fameux écrivain marxiste vivant en exil, ou à une telle L'Hermitte, la soprano de renommée internationale. L'effet ne rate jamais. Je leur réponds toujours d'un air faussement détaché, oui… oui… nous sommes un peu cousins… côté paternel. Pour tout L'Hermitte je ne connais en réalité que ma mère, Irène, fille d'un bourgeois mulâtre déchu mort assez jeune de delirium alcoolique et d'une jeune cuisinière au service de sa famille. Ce grand-père qui tenait à ses principes même dans la déchéance avait reconnu ma mère, consacrant ainsi une branche bâtarde et indigente au nom L'Hermitte. Sans me vanter, je suis passé maître dans l'art du bluff. Question de survie. Me serais-je appelé Dieufaite, Acélhomme ou Monius L'Hermitte, l'histoire de ma vie eût été drastiquement différente. A ma naissance, ma fille-mère de mère, que son âme repose en paix, ne pouvant me laisser aucun bien pour me garantir du besoin, a eu la clairvoyance de me léguer ces prénoms bourgeois qui, coiffés de son nom de famille, me démarquent de la classe des pauvres. Car l'objectif essentiel est de fuir la pauvreté par tous les moyens. Ne pas la renier, la pauvreté, mais l'éviter, la mystifier, sinon elle vous bouffe tout cru comme une plante carnivore.

J'ignore tout de mon père biologique. Maman ne m'en parlait jamais. Savait-elle seulement quel homme avait laissé en son sein le fruit d'une nuit de plaisir ? Mon père vivait-il à l'étranger ou bien ici même, dans ma ville ? Connaissait-il mon existence ? Était-il mort ? Autant de questions qui ont parsemé mon enfance de rêves mort-nés. Pour survivre, et peut-être par goût, ma mère faisait le commerce de ses charmes. J'ai connu autant de pères qu'elle a collectionné d'amants. La joliesse de mon visage attirait leur sympathie, ils éprouvaient une mâle fierté à coucher avec la génitrice d'un si beau rejeton. Je les dévisageais de mes grands yeux d'enfant, espérant qu'un jour l'un de ces papas de la nuit finirait par s'installer définitivement dans notre humble demeure pour effacer les lignes de fatigue dissimulées sous le fard épais dont Maman couvrait son visage à la tombée du soir.

Mais j'ai cessé d'entretenir ces espoirs puérils à un très jeune âge. Le jour où je compris que les hommes cachaient en eux une latente perversité toujours à l'affût d'innocence. Je me rappelle encore cette soirée où, Mère occupée à sa toilette, je tenais compagnie à l'un de ses galants. Je devais avoir huit ans. L'homme au paternel sourire qui quelques secondes plus tôt me tenait des propos anodins, avait de but en blanc extrait de sa braguette une énorme verge qu'il se mit à branler frénétiquement d'une main, le corps tendu de spasmes, pendant que de l'autre il me pétrissait douloureusement la cuisse. Son soudain halètement et l'éclat indéfinissable qui transformait son regard au moment où il déchargea sur notre moquette de sisal m'ont longtemps hanté. Mes yeux d'enfant voyaient pour la première fois la bête humaine. J'étais sidéré, quasi hypnotisé, ne pouvant ni crier ni m'enfuir.

Évidemment, l'opportuniste voulait jouir des faveurs et de la mère et du fils. Maman surprenant la scène avait promptement chassé le monstre. Elle en avait ensuite ri en passant nerveusement sa main dans mes cheveux et me serrant très fort contre sa poitrine. Mais ce soir-là, pour la première fois, je lus la frayeur et le doute dans le regard assombri d'Irène.

J'ai donc tôt perdu mes illusions. Je ne voulais plus d'interférence entre nous. Elle vivait de ses charmes, tant pis ou tant mieux. Ce n'était qu'un métier professé sans état d'âme et rien d'autre. Des hommes possédaient ma mère la nuit, moi, elle m'appartenait durant le jour, dans la lumière, quand tout est vrai. Pourquoi nous encombrer d'un quidam à qui nous aurions des comptes à rendre, qui exigerait de nous respect et déférence comme prix de sa présence et de son support matériel ?

Je n'ai aimé qu'une seule femme sous le soleil, ma mère. Je ne pourrais supporter de compagne dans ma vie durant les heures du jour. L'idée même du mariage m'horripile et je connais toutes les techniques pour me défaire des marieuses acharnées. Les filles de macoute restent les pires. L'ombre menaçante de papa dissuade radicalement les mal-intentionnés. Sauf Rico L'Hermitte. Il n'est pas encore né celui qui me passera de gré ou de force la bague au doigt. Une seule amie partage de plein droit mon soleil, la solitude. Quelle femme saurait-elle étancher la soif de tendresse qui me terrasse dans le désert du jour?

La lumière me ramène invariablement à Maman. Le jour nous appartenait. Sa clarté chassait les rires fauves de l'ombre et mettait en fuite les prédateurs à l'affût de nos nuits. Nous pouvions même décider que tous les moments vécus en l'absence du soleil n'étaient que rêves ou mirages. Nous croire simples et paisibles citoyens, demeurant et domiciliés à Martissant, commune de Carrefour, localité comptant environ vingt-cinq mille âmes, ayant pour voisins de droite Mme Estève, mère de Yona, Louloune et Ti Tony, dont le mari Audalbert est alcoolique et professeur à l'école publique. Avec sur notre gauche un terrain vague abritant le commerce de manger d'Éliane qui habite une petite cahute sur le terrain d'après et brasse une merveille d'akassan le matin. Sans oublier dans la grande maison du coin Miss Phanor, auxiliaire médicale à l'hôpital général, la marraine de Jacqueline devenue plus tard ma petite amie. Pour la plupart, des gens de la province émigrés vers la capitale. Nous nous prétendions une mère et son petit garçon de fils en classe chez les frères, qui part souvent avec ses copains à la chasse aux oiseaux avec fistibal et filets. Nous pouvions être vrais dans la lumière, comme lors de nos visites à tante Eva au couvent des Petites Sœurs de la Rédemption de Quartier-Morin, avec la douche glacée obligatoire à cinq heures trente du matin dans des compartiments à ciel ouvert, suivie de la prière dans la petite chapelle qui sentait bon le cèdre, puis d'un bol d'avoine fumant et de pain frais tartiné au beurre maison dans une cafétéria où des bonnes femmes voilées chuchotaient. Nous pouvions occulter la nuit. Dans quelle femme pourrai-je jamais retrouver le visage de Maman inondé de lumière ?

La petite radio toussote, gronde et demeure muette un instant. L'index impatient de Félix commande au bouton et l'aiguille glisse sous la vitre du cadran avec un bruit de soie que l'on déchire. Un chuintement plus allongé… une onde s'accroche. La voix aigrelette d'une speakerine débite des nouvelles. Celle-là travaille sur Bohio FM. Son nom est Florence Isidore, avec une façon bien à elle de traîner sur la dernière syllabe de son nom, Isidôôôre. Je l'imagine basse sur pattes, maigre avec un petit cul bien serré dont j'aurais bien aimé pénétrer les mystères. Elle est fiancée peut-être, mais impatiente de concrétiser l'alliance, le temps presse et Sainte-Catherine tend déjà la main. Les voix des femmes en disent beaucoup sur leur corps et sur leurs émotions. Je m'amuse souvent à deviner les êtres derrière les micros des radios. Florence semble gaie ce soir. Je le sens à son souffle court et à son ton plus aigu quand elle commence ses phrases. Elle a hâte de terminer son émission et doit sûrement anticiper les délices de son vendredi soir.

Le ministre des Affaires sociales a inauguré ce matin une grande foire artisanale sur l'aire du Champ-de-Mars, organisée avec le concours de l'Institut national de l'artisanat. La cérémonie à laquelle participait le représentant de Son Excellence le président à vie de la République, le colonel Antoine Séraphin, s'est déroulée dans une atmosphère conviviale. Le ministre a énuméré les efforts déployés par le gouvernement pour encourager l'artisanat local et la petite industrie. Grâce à la sollicitude agissante du chef de l'État, les artisans qui exposent leurs articles à cette foire ont bénéficié d'une subvention pour couvrir leurs frais de transport...

Je connais le ministre des Affaires sociales. Un habitué de chez Patrice. Un monsieur dans la soixantaine qui traîne une peur bleue de vieillir. Il noie son mal-être dans l'alcool et ses cheveux blancs sous des couches de noir aile de corbeau. Quand il boit il devient en veine de confidences. Il paraît qu'il fait du bon travail au ministère. L'artisanat local connaît un certain essor sous sa direction. On le prétend honnête. Il se serait même plaint en coulisse que le plus gros du budget de son ministère serve à financer des activités très éloignées de la petite industrie. Un ministre avec des états d'âme, plutôt rare de nos jours... et suicidaire en plus.

Félix poursuit sa quête sonore, attentif à son travail, intense dans son occupation. La valse de l'aiguille continue sous le cadran. Je peux presque voir les plis curieux qui se tassent sur son visage concentré. Un parcours de quelques centimètres sur l'écran nous emmène à travers le pays et le monde.

Pour cet été, l'Atlantic Airways vous offre des tarifs allégés… voyagez vers Miami et New York pour seulement…

La brise tombe en entraînant les tarifs dans sa chute. La radio en contrebas de ma fenêtre m'échappe de temps en temps quand faiblit le vent. Miami… New York… Je n'ai jamais mis les pieds dans un avion. J'éprouve une peur panique devant cet énorme cylindre ailé pareil à un cercueil volant. Mais très peu de gens le savent. Un de mes grands secrets. Je me demande si je partirai jamais un jour. L'idée m'a plus d'une fois traversé l'esprit mais l'envie n'a jamais été assez forte pour me décider à me forger une nouvelle identité en terre étrangère. Des visas, je pourrais facilement en trouver grâce à mes relations, reconnaissance au phallus oblige. Ne dit-on pas que les dettes de lit sont éternelles? J'ai honoré consciencieusement la couche de dames très haut placées. Un billet à qui de droit et les certificats de travail et affidavits nécessaires auraient fait aboutir avec succès mes démarches. Mais non, l'aventure ne m'a jamais tenté. Je suis trop paresseux pour bosser en usine chez le Blanc, trop peu qualifié pour travailler comme fonctionnaire et trop beau pour aller me vendre au rabais dans ces mégapoles à compétition systématique.

Et puis, devenir un numéro parmi des millions de numéros ne m'emballe pas. Si j'étais un intellectuel exilé que d'autres beaux esprits pétris de principes universels viendraient accueillir au bas d'une passerelle à grand renfort d'accolades, passe encore. Tout comme mon pseudo-cousin, le romancier marxiste. Mais je n'appartiens pas à la race des intellectuels ni à celle des opposants de droite ou de gauche. J'essaie de me maintenir au milieu, dans une catégorie plutôt floue où se réfugient les caméléons dans mon genre. Je ne connais personne en terre étrangère. Quelques-uns de mes anciens amis vivent à l'étranger mais je n'ai plus de leurs nouvelles depuis longtemps. Leurs traces se sont perdues dans le désert de ma vie. Personne ne m'attend ailleurs, aucun groupe ne me réclame, nulle solidarité ne m'interpelle. Mais pire, une fois parti, je n'aurai personne à qui revenir. Car pour moi tout le sens du départ demeure dans l'attente du retour, la nostalgie d'une amitié, d'un sourire qui donnent du cœur pour endurer l'éloignement. Partir pour revenir à l'amour primordial, à la mère, ma mère. Mais Irène ne m'espère plus. Je n'ai pas eu à prendre un avion pour la quitter. La vie a su comment nous séparer de manière définitive. A quoi bon m'en aller ? Sans Maman, tout retour perd de son sens pour moi. Alors je reste et je vis dans son absence. Et puis, des fois, je l'avoue, il fait tout simplement bon vivre ici. Atlantic Airways peut toujours attendre. Je me débrouille pour subvenir à mes besoins. En serrant mon budget de près, j'arrive à joindre les deux bouts et même à me mettre de côté quelques économies. Je vis à mon rythme, selon ma fantaisie. J'entretiens des relations là où il le faut, je fréquente la bonne société. Je dors la journée et je tiens bien encore sur une piste de danse. Un jour… peut-être… je me paierai un petit voyage en touriste, question de voir ce qui se passe de l'autre côté de l'océan.

La nature m'a fait don d'une belle gueule. Ni blanc ni tout à fait noir, ni gras ni trop maigre, plutôt grand avec des muscles saillants et nerveux. On me décrit comme un mulâtre brun, un griffe ou un grimaud amélioré. S'ils ne sont pas droits, mes cheveux aux boucles cannelle ne possèdent pas non plus la texture rêche des nègres purs. Pas un fil blanc ne jette encore le désarroi dans ma chevelure drue et à mon âge je peux dire sans me tromper qu'aucune calvitie ne viendra altérer désagréablement ma physionomie. Mon nez est une combinaison de truffe caucasienne agrémentée de frémissantes narines négroïdes. Mes lèvres charnues et bien ourlées recèlent des promesses de jouissance, elles sont surmontées d'un duvet châtain qui confère un air d'adolescent rebelle à mon visage toujours rasé de près. Je connais le pouvoir de mes yeux couleur de miel. Je vis dans un monde où les valeurs humaines s'évaluent aux teintes épidermiques et à la frisure des cheveux. Toute nuance de peau tendant vers le clair garantit une certaine estime et un *a priori* de bonne extraction. Je n'ai pas choisi ma couleur ni la souplesse de ma chevelure mais je serais bête de ne pas prendre avantage de ces précieux atouts pour boire, manger et satisfaire mes autres appétits. Si toute une classe d'hommes et de femmes peut être obnubilée par le traumatisme colonial au point d'opposer des histoires de couleur de peau aux problèmes profonds qui minent le pays aujourd'hui, qu'à cela ne tienne. Moi, je profite de la bêtise collective. Parce que, en dehors de mes attributs physiques providentiels je ne possède rien, mais rien du tout. Je suis un homme ambigu, à cheval entre deux mentalités, entre deux types physiques, entre deux classes sociales, entre deux sexualités. J'intrigue et attire mâles et femelles par mon allure de beau ténébreux et mon cynisme. Ma vie durant j'ai cultivé l'ambiguïté, jusqu'à en faire un métier, un art, une passion garantissant ma survie dans cette société qui pardonne tout à un homme, ses convictions politiques, ses lâchetés, ses magouilles, ses vices, tout, sauf sa pauvreté.

La première dame de la République accompagnée des membres de son secrétariat privé a effectué une visite surprise ce matin à l'orphelinat du Bon-Secours de Varreux, ci-devant centre Manman Simone. (Comme d'habitude, le timbre grave et harmonieux du speaker de Radio Nation, Maximilien Georges, confère un caractère solennel aux nouvelles.) *Avec la sobre distinction, l'élégance sûre, la compassion maternelle qu'on lui connaît, la première dame a minutieusement inspecté les lieux, fournissant conseils et suggestions dans sa détermination à continuer sans répit son action salvatrice pour soulager partout la misère et la pauvreté...*

Tiens, tiens... parlant de pauvreté... j'imagine le scénario... toujours le même cinéma... demoiselles et dames de secrétariat débarquant dans un nuage de parfums capiteux, habillées de lin, chaussées de cuir fin, baguées de diamant, caquetantes et excitées autour de leur patronne. Les badauds ont sûrement dû se masser des deux côtés de la route pour voir passer le cortège de quatre-quatre soulevant la poussière, tuant aussi quelques têtes de bétail sur son chemin. Les gardes du corps les premiers sont descendus presque à la volée des véhicules aux vitres fumées et blindées. Lunettes au mercure, képis enfoncés, intenses. Certains ont pris position en des points stratégiques pour encadrer le périmètre, d'autres se sont précipités aux portières des véhicules pour faire descendre la meute salvatrice.

Mais pourquoi tant de démonstration de force, tant d'étalage de puissance? Pour combattre les moulins à vent de la misère? Ou pour soûler ces gens de leur propre pouvoir? Ces dames grisées de leurs bonnes œuvres distribuent avec un sourire de commisération sur les lèvres des enveloppes chargées de quelques dizaines de gourdes. L'argent du peuple qu'elles lui allongent au compte-gouttes... Si on avait dépouillé ces bienfaitrices de leurs parures ce matin-là, la valeur réunie de leurs fripes soutiendrait l'orphelinat du Bon-Secours une année entière. Pourtant les pauvres malheureux apprécient le show, émus et fiers de ces petites marques d'attention. Il faut donner au peuple sa part de merveilleux et tout va bien.

Mais Félix lui se fout de mes états d'âme. Il poursuit son voyage dans l'espace. Il ferme les yeux, attentif, sensible aux moindres variations des ondes. Sa radio c'est sa femme, sa bouboutte qu'il caresse longuement chaque après-midi. Il lui arrache des aveux, des chansons, des informations, des souvenirs. Il en vit.

Enfin... Dieu me préserve de la misère... comme disait Irène.

Ma mère… Elle m'a aimé comme une mère aime un enfant unique. Violemment. Et rien ne pouvait s'interposer entre elle et son amour pour moi, ni l'école, ni ses hommes. Elle me prodiguait son affection par élans brusques, m'enfermant dans le cercle de ses baisers et de ses caresses qui me portaient au septième ciel, puis elle m'en libérait aussi brusquement, réalisant qu'un jour elle pourrait ne plus être là et qu'il fallait m'y habituer. Pour moi, deux choses importaient dans la vie, l'amour de Maman et le reste. Je l'aimais désespérément, avec la peur constante de la perdre ou d'être totalement rejeté un jour. Une peur qui me prenait au ventre et me rendait malade parfois. Je pouvais rester des heures à la regarder, à la manger des yeux, à m'enivrer de son parfum, à jouir de la chaude caresse de sa voix. Elle me disait souvent que je l'intimidais à la dévisager ainsi. Un mélange de retenue et de dévergondage, un amour incontrôlable et dément qui me rendait fort et sûr de la vie, cédant ensuite la place à une réserve imprévisible qui m'anéantissait, c'était cela ma mère. J'ai poussé comme de la mauvaise herbe, au gré du vent, des aventures de Maman, de ses fantasmes et de ses humeurs. Elle ne m'a pas caché le genre de vie qu'elle menait, elle n'a jamais été prude, ma maternelle. J'étais son fils, sorti de son ventre, de ses tripes, je la connaissais à l'envers comme à l'endroit. Son rire de gorge, sa voix enrouée par les cigarettes fumées à la chaîne m'enchantaient. Sa nudité dans notre petite maison me paraissait naturelle, les animaux s'embarrassent-ils de pudeur ? Je la comparais parfois à une belle bête, chat sauvage ou malfini, tout en instinct et en imprévisibilité. Une femme-nature. Avec elle, le sexe et le plaisir habitaient mon quotidien au même titre que le vent, le soleil ou la mer.

Contrairement aux habitudes de notre milieu, Maman refusa toujours d'engager du personnel de maison. Je ne sais trop pourquoi, elle professait un mépris non voilé pour la domesticité. Pas question d'avoir une bonne pour cuisiner et nettoyer la maison. Maman prenait soin de tout elle-même. Elle faisait seulement venir deux fois par semaine une vieille femme des environs qui emportait notre linge sale et nous le ramenait le surlendemain sentant bon le soleil et les cascades de Rivière-Froide. Craignait-elle que son fils, marqué de l'atavisme de son aïeul, ne s'encanaille avec cette engeance qu'elle méprisait ? Redoutait-elle de voir son sang dégradé par des unions inconcevables, rétrogrades ? Était-ce qu'elle retrouvait un peu de sa mère dans ces personnes dont l'humble condition lui remettait sous les yeux ses propres origines ? Irène… ses mystères et ses incohérences. Je les acceptais comme un croyant accepte les merveilles et les tyrannies de sa foi.

Nous habitions une minuscule maison de trois pièces à Martissant, à laquelle on accédait par trois marches rondes. Elle comprenait un petit salon sur l'avant, décoré d'une flore en plastique multicolore, de rideaux ourlés de dentelles et d'un jeu de trois fauteuils en velours moutarde recouverts de vinyle transparent, une office-cuisine, la pièce la plus fraîche de la demeure, enclavée entre le salon et l'unique chambre à coucher donnant sur une courette. Le cabinet de toilette et les latrines, détachés du reste du logis, se dressaient contre le mur de clôture. Cette maison je la porte encore en moi comme un écrin, un petit coin de paradis. C'est le seul endroit où j'ai vécu avec Maman. J'y suis né, elle y est morte. Dans mes souvenirs je la revois encore, sur sa dodine, dolente, affaiblie par ses nuits d'amour et l'entretien du foyer, prenant le frais derrière l'écran tacheté de petites fleurs couleur de sang et de lait du riz-et-pois grimpant sur la clôture à claire-voie de la maison.

Les soirées où elle recevait de la visite, je couchais sur un lit de camp au salon. Je savais la chambre à coucher témoin de choses que les adultes se font et dont ils raffolent. J'entendais souvent, les soirs où je n'arrivais pas à m'endormir, le choc sourd et répété du lit contre le mur de la chambre, le chant acide du sommier, ponctués des gémissements de Maman et des grognements sauvages de ses amis au bord de l'extase. C'était un fait de la vie, comme d'aller à l'église le dimanche, ou de jouer aux billes avec mes copains Ti Tony, Socrate et Ronald sur le terrain vague au bord de la mer, nos têtes dépassant à peine les touffes d'herbes-guinées qui ondoyaient sous la brise salée. Étrangement, je n'étais pas jaloux des amis de ma mère, mais de mes copains, oui je l'étais. Je ne ressentais rien de particulier envers les autres messieurs, ceux de la nuit. Ils arrivaient, emplissaient la maison de leurs rires et de leurs soupirs et repartaient sans provoquer en moi d'animosité. Mais quand Ti Tony, Socrate ou Ronald venaient à la maison et que je les voyais lorgner les merveilles cachées sous la robe de chambre de ma mère, alors montaient en moi des pulsions meurtrières. L'affaire devenait personnelle, avec des individus que je comprenais, dont je pouvais ressentir les émotions, les curiosités. Je savais qu'ils savaient pour Maman. Je n'ignorais pas non plus à quel point un gamin de dix ans pouvait être un homme, d'une certaine façon. Et il me brûlait que ma mère fasse les frais de leurs fantasmes.

Pour laisser Maman récupérer de ses fatigues de la nuit, je retrouvais mes copains l'après-midi, après déjeuner, sur la grève. Martissant à cette époque me paraissait immense, offrant à nos jeux les secrets de ses innombrables cours d'eau, des champs de palmistes s'étendant à perte de vue, des mangroves dont les racines démesurées accueillaient nos parties de cache-cache et nos frayeurs. Je garde de ce temps un goût particulier dans la bouche, un souvenir ému sur mes papilles, la visqueuse saveur des huîtres que nous détachions des racines de plantes aquatiques quand la marée descendait, les baies sauvages qui tachaient de pourpre nos lèvres, et même l'odeur amère des bottes de lalo que je récoltais et avec lesquelles Maman cuisinait de succulentes ratatouilles aux crabes. Et la mer, la mer partout, infiniment bleue, jusqu'aux pieds de Port-au-Prince, l'Eldorado à conquérir un jour. Port-au-Prince, ville de rêve que je ne visitais que quelquefois l'an, pour assister au cortège du carnaval ou me promener en compagnie de Maman autour de la fontaine lumineuse de l'Exposition. La fontaine... une merveille dont la beauté me dépassait, m'écrasait même, de l'eau changeant de couleur et semblant obéir aux archets caressés par des anges dans le ciel.

Je n'avais point honte de ma mère, puisqu'elle assumait sans embarras apparent les circonstances de sa vie. Je la rejoignais dans son grand lit quand ses visiteurs la laissaient enfin. Elle allait vite dans le cabinet de toilette effacer leurs traces de son intimité et revenait me trouver, pour se coller à moi, pour se purifier à mon contact. Des fois nous restions éveillés jusqu'au petit jour, elle et moi, à bavarder à voix basse, échafaudant des projets qui ne survivraient pas à la nuit. Je peux encore sentir le corps tant aimé, nu sous son négligé, sur lequel traînait un reste du parfum de ses amis. A nous tenir collés l'un contre l'autre, nous occultions tacitement tout ce qui était étranger à nos deux vies. Je me la réappropriais et à mon contact elle effaçait toute souillure de son corps et de son âme. Ce souvenir demeure un refuge, un puissant talisman. Il me lave du dégoût d'aimer parfois des corps qui me laissent indifférent.

Elle accordait peu d'importance à mon éducation scolaire, la mama, trouvant normal que certains jours je reste à paresser dans mon lit au lieu d'aller manger le pain de l'instruction. Elle tolérait mon penchant à la dolence, à la rêverie, sûrement hérité d'elle. Ma paresse témoignait de mon intelligence, selon Maman. Elle préférait me savoir intelligent et fainéant qu'actif et bête. Mon intelligence provenait sûrement du sang bourgeois coulant dans mes veines, toujours selon Maman, et s'imposerait naturellement dans les moments cruciaux de ma vie. L'école était un peu une rivale qui lui ravissait ma présence. Elle voulait bien sûr que j'acquière des connaissances, que surtout je parle du bon français et que j'apprenne les bonnes manières. J'allais en classe chez les frères de l'Éducation chrétienne, pour côtoyer des garçons de bonne famille et commencer à me familiariser très tôt avec le beau monde, comme elle disait. Elle ne supportait pas la vulgarité ni le terre-à-terre, Irène. Elle portait un nom qui exigeait un certain décorum. Sans être apprêtée ni ridicule, elle en imposait par cette réserve dressée comme un paravent entre elle et ceux qu'elle jugeait indignes de sa compagnie. Je ne sais à quel critère évaluer sa moralité, mais si elle fut amorale, elle le fut avec distinction.

Elle insistait pour que je sois toujours bien mis. J'eus très tôt le souci de mon apparence. Même si je ne possédais qu'une bonne chemise et qu'une bonne paire de pantalons à la fois, pour la messe du dimanche, ils allaient régulièrement à la blanchisserie chez le Chinois de la rue des Casernes. Ma mère s'offusquait à la vue de mes ongles ou de mes oreilles sales. Souvent, elle passait de longues minutes à me brosser les cheveux, rêveuse, le regard perdu dans des dimensions où j'aurais voulu la suivre, pendant que la fumée de sa cigarette me piquait le nez et les yeux. Elle m'apprit de bonne heure à donner le change, notre misère ne concernait que nous. Pas la peine de l'offrir en pâture aux voisins. Son principe était de toujours laisser croire que tout allait bien, on ne prête pas aux pauvres, me disait-elle. Mon enfance a passé par des périodes d'abondance et de privation. Dépendant de la prodigalité de ses hommes du moment, de la situation politique ou même des conditions météorologiques car quand les eaux de pluie inondaient la sortie de l'Exposition, coupant la route de Carrefour de la capitale, nous restions des jours sans recevoir de visite, donc sans ressources. Ma mère n'a jamais su gérer un budget. Je tiens de cette période de mon enfance mon admiration pour les militaires. Quelques officiers ont fréquenté ma maison. Ils me fascinaient littéralement. Certains soirs il arrivait que l'un d'entre eux débarque, portant encore son uniforme aux plis impeccables même après une journée de travail. Ces hommes m'imposaient le respect. Je n'ai jamais été tenté par la carrière militaire moi-même, mais je me plais dans la compagnie des hommes de guerre, et puis ils sont des éléments indispensables sur une liste de relations utiles.

Je sais lire et écrire correctement le français. Je peux épicer mon langage d'un petit accent d'outre-mer quand le besoin se présente. Dans certains salons ce détail parachève mon personnage. Ma signature aux boucles envolées et nerveuses figure avec prestige au bas de n'importe quel document. Je n'ai pas terminé mon cycle d'études classiques, mais des études prolongées n'entraient pas dans les plans d'avenir que ma mère bâtissait pour moi. Elle devait sentir dans son sang, dans ses os, qu'il lui serait impossible de me soutenir longtemps, de subvenir à tous mes besoins pendant de longues années encore. Nous allions nous séparer trop tôt. Elle comptait sur ma tête de beau gosse pour me faire une situation, c'est-à-dire me marier dans une famille riche. Nombre de pères nouvellement fortunés cherchaient des jeunes hommes à la belle mine pour parer leurs salons et améliorer le profil génétique de leur race. Peu importait leurs origines. Je répondais bien à ces critères avec mon teint café au lait. Ma mère bénissait chaque jour le ciel de lui avoir donné un fils au lieu d'une fille. Un homme, ça se défend mieux dans la vie, c'est une denrée demandée, poursuivie, recherchée, me répétait-elle souvent. Elle n'avait pas à se soucier d'une fille qui tomberait éventuellement enceinte ou deviendrait un jour comme elle une femme de petite vertu. Je suis heureux qu'elle soit partie tôt, ma vieille. Car à ma façon, je vis moi aussi de mon corps. Je n'ai pas concrétisé son rêve d'un mariage d'affaires pour me mettre à l'abri du besoin le reste de ma vie. Au fond, je tiens d'elle ce côté absolument sauvage et solitaire. Je ne tolère aucune corde à mon cou, fût-elle tressée d'or.

Tant bien que mal, j'ai passé d'une classe à l'autre chez les frères de l'Éducation chrétienne, obtenant toujours de justesse la moyenne. Je bâclais mes devoirs, pressé de me plonger dans la lecture, l'une des rares passions de ma vie. Je dévorais tout texte imprimé qui me tombait sous la main. Avec les sous donnés par ma mère, je m'approvisionnais au marché de Sainte-Bernadette en livres d'occasion et voyageais de longues heures au cœur de romans d'aventures, de bandes dessinées, de magazines littéraires ou pornos. A l'âge où je devenais un homme, j'ai suivi, grâce aux journaux empilés sous mon lit, les grands mouvements sociaux qui ont profondément secoué les sociétés occidentales des années soixante. La lutte pour l'égalité raciale et les revendications estudiantines aux États-Unis d'Amérique, le mouvement féministe en Europe provoquèrent en moi une résonance qui modela profondément ma conception de la vie. Ces courants de pensée qui s'accompagnaient d'un relâchement des mœurs et d'un refus des conventions jugées hypocrites et désuètes seyaient bien à mon tempérament et à ma situation sociale assez marginale. Je cachais l'âme d'un hippie sous la peau d'un jeune homme sage et convenable.

Quand j'ai découvert les plaisirs du sexe, les joies du corps, je suis resté quelques jours à me mouvoir dans un nid de coton. C'était trop beau, trop bon cette sensation qui naissait naturellement aux sources intimes et comblait l'être d'un bonheur innommable. Pas de démarches à mener, nulle étude fastidieuse à compléter pour en profiter. Il suffisait de se plaire et d'en avoir envie. J'avais souvent fait l'expérience de ma virilité et de mes capacités physiologiques, seul dans mon lit, ou en groupe dans des parties de masturbation avec mes copains où le gagnant devait retenir son paroxysme jusqu'à une extrême limite et exploser le dernier. Nous sortions de ces séances le regard trouble, indécis sur la nature de l'acte que nous venions de commettre, mais certains de notre pouvoir de le renouveler à l'infini. Mais, pour moi, rien n'égalait la complicité entre deux êtres, l'unisson de deux souffles, l'exploration aux confins d'un monde où l'on mourait toujours un petit peu et d'où l'on revenait aveuglé de taches de lumière. Ma première complice fut une filleule de Miss Phanor, notre voisine. Jacqueline, une adolescente placée en correspondance à Port-au-Prince. Je crois qu'elle aima autant que moi nos escapades sur la grève, malgré les morsures impitoyables des bestioles et les zébrures laissées sur nos fesses par les herbes-guinées. Je recherchais sans cesse sa chaleur et sa disponibilité au plaisir. Nous avions tous les deux quinze ans. Irène ne voyait pas d'un bon œil mes amours avec Jacqueline, petite négresse d'un noir bleuté, à la peau de soleil brûlé. Ma mère questionna mes attirances et s'alarma de mes goûts. Pourtant le corps de Jacqueline m'enchantait et quand elle m'ouvrait son sexe, sa belle blessure rouge violacée tranchant violemment sur la nuit de sa peau, je me sentais défaillir d'émotions. Maman ne dit rien cependant, sachant qu'à cet âge il me fallait bien jeter ma gourme quelque part. Plutôt celle-là que les putains du bord de mer. Mais elle veillait au grain, pas question qu'un accident vienne assombrir sa descendance.

Cinq heures cinquante-cinq. L'heure palpite lentement. Je sens le soir pulser les secondes dans mes veines.
Je marche sur la dernière ligne droite avant d'entrer dans
l'arène de la nuit. J'aime le jour à son déclin, quand la nuit
vient renouveler ses promesses. La lumière adoucie devient
bleue dans le ciel qui semble plus près des êtres. Rétive
d'abord, la brise se livre enfin. Je pressens un ciel criblé
d'étoiles comme seul peut l'être le ciel de juillet de ma ville.
Un immense ciel de plein été qui entrera sous ma peau dès
que j'aurai mis les pieds dehors. Et puis, l'odeur végétale
des rues me saisira à la gorge, enserrant ma poitrine d'une
espèce de douce angoisse que je ne m'explique toujours
pas. Je vais déambuler dans la complicité des arbres, des
acajous touffus aux feuillages envahis à la brune par des
nuées de chauves-souris, des amandiers qui pleurent de
temps en temps une feuille jaunie, des manguiers char-
gés de grappes de fruits dorés par le soleil, des stragonias,
des bougainvillées et leurs toisons de fleurs aux teintes

alourdies par l'ombre. Profusion de rouge, de pourpre, de jaune dégageant des parfums qui me prennent au ventre, des senteurs qui me soûlent. Je vais mettre le pied dehors et vivre d'une vie neuve, sans une ride, sans une blessure.

Couché dans mon lit à attendre le soir, je suis pleinement conscient de ma solitude. La mienne et celle des autres. La solitude habite chaque instant de la vie, chaque intervalle entre les souffles. Elle est un être sans visage qui vit en nous, use insidieusement notre temps et nous vieillit. Vivre, c'est défier tous les jours cette intruse qui nous fait la guerre, nous mange nos espaces, nous épie sans cesse et envahit notre sang à notre insu, dès que nous baissons les bras. Des hommes, des femmes se tuent au travail, se noient dans les études, dans le plaisir et les drogues pour la fuir, l'éternelle solitude. Je la perçois entre les rires de la rue, dans l'intervalle des klaxons des voitures qui passent, entre un pas et le prochain. Toutes les activités humaines ont pour objectif ultime de la tenir éloignée, cette mangeuse de vie. L'amour, l'argent, le plaisir sont les meilleurs artifices pour remplir les blancs, combler les vides et lui contester le moindre morceau d'existence. Cinq vraies minutes de solitude suffisent à rendre un homme fou. C'est comme essayer de contempler une dimension plus grande que l'esprit ne puisse le concevoir, un pari perdu d'avance. La solitude me dépasse, me submerge parfois mais je ne la repousse pas. Je la recherche même souvent, pour la braver et y puiser de la force.

Comme au temps où je défiais la mer. Toute la mer face à la fragilité de mes douze ans. Je m'étais inventé une épreuve, une sorte de passation à l'adolescence qui consistait à longer le wharf de Bizoton, en nageant dans la mer, jusqu'à atteindre l'extrémité de la jetée, et de me pendre ensuite par les pieds à la barre de l'échelle métallique pour regarder l'océan la tête en bas. Je frissonne encore en repensant aux dangers de ce tour de force. Je risquais de me faire surprendre par les gardes affectés à la surveillance du wharf qui m'auraient certainement conduit au poste de police pour avoir franchi une zone interdite. Et puis, longer les quelque deux cents mètres de longueur de l'ouvrage, en nageant d'un pilotis à un autre, demandait un effort considérable de mon jeune corps qui aurait pu flancher à tout moment, emporté par l'eau profonde bouillonnant sous la grande dalle de béton. Mais tous ces risques valaient le sentiment de joie et de fierté ressenti une fois atteinte ma destination finale, et cette frayeur un peu mystique que me procurait le sentiment d'être seul au monde. Quand, les pieds retenus à la barre de l'échelle, je regardais la mer en dessous de moi, monstrueusement belle, immensément effrayante, quand j'entendais le clapotis et l'écho sauvage de l'eau sous la dalle du wharf, quand le ciel au-dessus de moi semblait vouloir me happer et que je me livrais avec humilité à ma peur, je savais la solitude mon alliée, mon refuge pour la vie.

Une cloche sonne, appelant à vêpres. Quelques rares fidèles se dépêchent pour ne pas perdre une miette du bon Dieu. Me parvient en même temps en filigrane un roulement de tambour, puis un autre, on dirait une marche guerrière, une montée à l'assaut. Je reconnais l'indicatif musical de Radio Tambour annonçant son bulletin de nouvelles de six heures. La lumière semble arrêter sa chute pour prêter attention. Des nouvelles en créole. Nouveau comme phénomène dans la radiodiffusion ici. Une recherche d'authenticité qui a tendance à se généraliser depuis quelques années. Il est bien vu dans certains milieux de parler créole. Attitude traduisant l'émergence d'une nouvelle façon d'être Haïtien. Un positionnement beaucoup plus près du peuple, pour le peuple, avec le peuple, comme il est de bon ton de dire. On ne se renie plus. Au contraire. On provoque. Les cheveux et la mise accompagnent la tendance. On se fout d'être bien vu. On est intellectuel, on fait dans l'opposition. Une certaine petite église est le bain de culture où mijote le nouvel élan.

Bonswa mesye dam, nap koute Radyo Tanbou. Li fè si zè. Men bilten nouvel nou tap tan'n nan.

C'est Carole, la speakerine phare de la station, à la voix bien articulée, convaincante, un tantinet agressive. Une vraie femme celle-là, une valkyrie tropicale. Elle doit connaître des orgasmes multiples. Et le tambour repart de plus belle. D'un doigt agacé Félix change de poste. Félix n'écoute pas les nouvelles en créole, il ne fait pas dans le vernaculaire lui. Trente-cinq ans depuis son arrivée à Port-au-Prince pour se mettre au service de maître Salomon Anacius Hyppolite Francœur, serait-ce pour rien ? Son patron fut commissaire du gouvernement, juge d'instruction puis juge à la Cour de cassation, vénérable maître de la loge maçonnique Les Trois Roses, une haute personnalité en somme. Pas une seule fois de sa vie maître Francœur ne lui a adressé la parole en créole. Et Mme Francœur, aujourd'hui encore, ne lui ferait pas l'affront de lui donner des ordres en patois. Il parle français Félix. Il connaît les bonnes manières, le protocole c'est son affaire. Il pense encore avec nostalgie au bon vieux temps où des gens de bien fréquentaient la résidence de maître Francœur, aux généreux pourboires que l'on glissait discrètement dans la poche de son dolman aujourd'hui râpé. Alors ne lui parlez pas de prêter l'oreille au nouveau créole qui s'installe sur les ondes, langue rétrograde dont il a divorcé en laissant les mornes. Ce n'est pas aujourd'hui que des jeunes morveux vont lui faire écouter des nouvelles en créole sur *sa* radio. Il ne cautionnera pas la décadence, un point c'est tout.

Six heures du soir… Ma chambre devenue bateau accostera bientôt aux ports de l'ombre. Sur ma table de toilette, mon regard caresse mon bibelot fétiche. Un biscuit de porcelaine blanche, tout ce qu'il y a de plus délicat, représentant un jeune communiant aux joues roses, aux cheveux couleur de blé doré approchant la sainte-table. Fragile rescapé de mon enfance, le seul témoin d'un temps où ma mère vivait dans ma vie. Le cadeau d'une demi-tante de Maman, tante Eva, je devrais plutôt dire sœur Gérarde de la Conception. Une petite vieille qui ne mesurait pas plus d'un mètre quarante-cinq et que nous visitions chaque année, à la Semaine sainte, dans son couvent de Quartier-Morin, loin dans le nord. Eva était la demi-sœur de mon grand-père maternel, la seule de cette famille à nous accueillir et à nous reconnaître un statut de parent. Probablement parce que, demi-sœur elle-même de l'aïeul, elle ne portait pas le nom L'Hermitte. Ce voyage représentait notre pèlerinage, la partie propre de notre existence, une manière de réhabilitation. Il nous permettait de renouveler l'eau de nos regards, de vivre juste pour le plaisir d'être plus près de la terre, de l'herbe, des vaches et de la rosée, de nous laver de la ville et de ce qu'elle exigeait de nous pour survivre. Une fois, Jacqueline, qui me faisait une scène de jalousie, a lancé ce morceau de ma vie contre le mur de la chambre. Je ne suis pas violent, mais il ne fallait pas qu'elle touche à cette part de pureté, la seule qui me reste encore. J'ai vu rouge. Je lui ai cassé la mâchoire. Je ne voulais pas la brutaliser mais devant mon enfance brisée, il ne me restait plus une once de contrôle. Heureusement que la cassure était nette, le cordonnier du coin m'a rafistolé le bibelot avec de la colle forte.

Jacqueline… elle voulait à tout prix que je lui fasse un enfant. Je ne l'avais plus revue depuis Martissant, depuis le feu merveilleux qui avait enflammé nos adolescences. Quinze ans plus tard, sortant des brumes d'une nuit de beuveries, j'ai ouvert les yeux sur son sourire. Et sa vue me causa un choc. De la voir me remettait en plein dans les couleurs de mon enfance, dans la tendresse des jours d'innocence. Des amis m'avaient conduit en salle d'urgence d'un hôpital de quartier, suite à mon évanouissement en pleine fête causé par la fatigue, l'excès de boisson et de sexe. Jacqueline occupait les fonctions d'infirmière en chef à ce centre médical. Inclinée au-dessus de moi, je la vis se mouvoir dans une sorte de gaze blanche, comme un ange venu tout droit du ciel pour me laver de mes péchés et de la vomissure qui maculait mes vêtements. Le contact de ses doigts sur ma peau pendant qu'elle prenait mon pouls et ma tension artérielle provoqua en moi un raz de marée de frissons. Jacqueline ressuscitait Irène, sa tendresse, le havre de ses épaules, le velouté de sa peau, la profondeur vertigineuse de son regard posé sur moi. Je m'accrochai à elle comme un naufragé à une bouée.

Pour Jacqueline je suis resté sobre six mois. Sobre d'alcool, de musique et de nuits blanches. Liquidées mes maîtresses, les jeunes, les vieilles. J'ai asséché mes sources de revenus, n'acceptant que la générosité de Jacqueline qui ne demandait pas mieux pour me garder. J'ai réappris à faire l'amour, pour l'amour, à trembler d'émotions, à dire je t'aime. Son amour me lavait, me réhabilitait. C'était bon de nous retrouver, Jacqueline et moi. Nous nous connaissions et nous découvrions en même temps. La maladresse de notre adolescence cédait la place à l'expérience de deux adultes qui avaient en quinze ans de séparation expérimenté sans complexe les joies du corps. Jacqueline faisait bien l'amour, souvent et avec ardeur. Elle avait eu son compte d'hommes et au moment de notre rencontre elle honorait le lit d'un médecin du centre de santé où elle travaillait. Mais Jacqueline, femme d'un seul homme, s'était empressée de mettre à pied son toubib pour se consacrer à son amour de jeunesse retrouvé, moi

Rico. Un signe qui me troubla malgré l'euphorie dans laquelle je baignais.

Huit mois d'amour et de plaisir *légal* et déjà la routine des jours menaçait mon équilibre mental. L'amour aseptisé et prévisible n'est pas fait pour moi. Je ne peux pas vivre attaché à un seul lit, à une seule femme, à un même plaisir. Cela me rend fou. Et puis Jacqueline m'étouffait. Jacqueline voulait d'un enfant jusqu'à l'obsession. Elle avait tenté sans succès de se faire engrosser par d'autres partenaires. Baiser devenait donc au fil des jours un exercice thérapeutique qui tuait toute spontanéité. Il fallait toujours la prendre dans la position du chien, le plus profondément possible, et rester soudés au moins trois minutes bien chronométrées après notre jouissance pour garantir le plus de chances de fécondation. En dehors de ses périodes fertiles, Jacqueline découragée se désintéressait lentement du sexe. A la longue, je redoutais de lui faire l'amour et un jour mon membre refusa simplement de se tendre. Non merci, très peu pour moi, Jacqueline. L'idée d'un enfant non plus ne m'emballait pas. Jacqueline ne pensa jamais à me demander mon opinion sur la question, elle présumait que je voulais aussi d'un mioche. Alors j'ai recommencé à sortir avec mes anciens copains, à surfer sur les vagues de la nuit, à être moi, quoi! J'ai retrouvé intactes ma virilité et ma soif de vivre. Évidemment les scènes de jalousie ont plu, les crises de larmes, les reproches à n'en plus finir. Nous ne passions pratiquement pas un jour sans nous engueuler pour une raison ou pour une autre, jusqu'à ce fameux soir où Jacqueline commit le sacrilège de toucher à mon bibelot.

Déjà six heures douze. Dans le miroir accroché au-dessus de mon lit, je vois parfois sourire Irène. A l'approche du soir, je trouvais plus laiteuse et plus secrète sa peau de mulâtresse, plus mol l'abandon de ses cheveux sur ses épaules. Comme si une étrange alchimie s'opérait sous son épiderme, qu'elle se transformait pour entrer dans la nuit. La nuit est femme, ma mère la nuit. Elle est partie bien vite, la madre. Cancer aux poumons. Elle fumait trop, paraît-il. En l'espace de trois mois je me retrouvai absolument seul. Seul avec mes dix-sept ans, mes mains vides et ma frayeur devant toute ma vie sans elle. Brusquement la mer désertait la jetée de Bizoton pour affluer au pas de ma porte, au pas de mon cœur. Je n'avais qu'à fermer les yeux pour me sentir la tête en bas, infiniment petit, suspendu entre l'océan et le ciel.

J'ai vécu le temps du deuil et des funérailles de Maman comme un zombie, sans aucune conscience de rien.

Les voisines occupaient les trois pièces toute la journée, mettant de l'ordre dans les affaires de la défunte, coulant sans arrêt du café pour recevoir les visiteurs du quartier, en profitant aussi pour dérober les quelques objets de valeur que contenait la maison. Je ne sais qui a pris en charge les frais d'enterrement. Prévoyant sa fin, je crois que Maman avait laissé à quelques amis de quoi la mettre en terre dans la décence. Des cousins que je ne connaissais pas se sont présentés à moi. Ils descendaient de ma grand-mère maternelle qui, après avoir donné naissance à ma mère, avait épousé un menuisier de Léogâne et conçu quatre autres enfants à la peau noire. D'où sortaient-ils ? De qui tenaient-ils la nouvelle du décès de Maman ? Je leur trouvais un vague air de famille. Pourtant je les regardai sans grand intérêt. Ma mère n'entretenait pas de relations avec ses proches, à l'exception de tante Eva. Peut-être les considérait-elle trop humbles, trop satisfaits de leur misère. Leur compassion et leurs bons mots ne me touchaient pas. Je voulais pour moi seul ma douleur aussi vaste que la mer à Bizoton.

Mais elle m'avait inculqué des ressources, ma maternelle, des réflexes de survie. Je connaissais surtout un certain nombre de ses relations. Je ne pouvais plus vivre dans la maison de Martissant désormais trop grande pour moi sans la présence de Maman. Je ne disposais d'aucun revenu, déjà la faim frappait à ma porte. La compassion des mères du voisinage ne durerait pas longtemps, elles supportaient des charges déjà trop lourdes sans une nouvelle bouche à nourrir. Je devais réagir ou laisser sombrer à jamais mon esprit dans les tourbillons sous le wharf. Je devais à ma mère de continuer de vivre. Une semaine après sa disparition, fringué de mes vêtements du dimanche, je me suis présenté de bon matin au grand quartier général de Port-au-Prince où j'ai demandé à voir le colonel Dumornay, un septuagénaire bien conservé des amis de Maman, pour me mettre à son service. Dumornay était militaire et hédoniste. Je lui dois beaucoup, au colonel. Il m'a tout de suite pris sous son aile. Je gîtais désormais dans une pension tenue par l'une de ses anciennes maîtresses. Une transition drastique, plus de comptes à rendre à personne qu'à moi-même. Une nouvelle et totale indépendance qui me donnait parfois le vertige. J'y goûtais pleinement, tout en la redoutant, car je la devais à la mort de ma mère. Il m'apprit un tas de choses, le Colonel. A flairer le vent et les intentions, à ne jamais me compromettre, à rester loin de la politique, loin des maîtresses des grands bonzes au pouvoir. Il m'enseigna les femmes, à les sentir, les anticiper, les toucher, à ne pas y croire, mais à en profiter en les faisant jouir. Au fil des jours, je devenais un vrai macho, égoïste et âpre. Le colonel me montra comment tenir l'alcool et la nuit. Je l'accompagnais souvent en fin de semaine à *Cabane Choucoune*, dans le vertige des pistons, de l'orgue et des cuivres de l'ensemble Nemours Jean-Baptiste, ou *Aux Calebasses*, près de la mer, investi par l'orchestre d'Issa el Saieh, l'idole de la jeunesse. Je garde de cette époque une saveur de bon manger. Je ne peux décrire mieux l'impression de ces jours où je faisais mes premiers pas d'homme. Je mordais à pleines dents dans la vie comme dans un plat de griot accompagné de bananes frites, arrosé de beaucoup de piment et de Barbancourt sur glace avec une rondelle de citron. Chaque jour était une fête, chaque nuit plutôt, puisque je faisais l'apprentissage de la vie nocturne. Je vivais pour la musique, la bouffe, l'alcool, pour me savoir beau et le lire dans les regards féminins qui me suivaient immanquablement au passage. Le centre de ma vie devenait une piste de danse et une femme plaquée contre moi dans ce petit espace représentant mon nouvel univers. Quand le maestro Wébert Sicot frappait du pied pour mettre en branle sa lourde machine musicale, mes tripes vibraient dans mon ventre. Je rêvais de pouvoir chanter comme André Dorismond ou Gary French, je connaissais les derniers morceaux qui accompagnaient mes journées, en attendant de retrouver le soir la féerie des lumières et des sons.

Le colonel possédait une très jeune maîtresse que j'escortais pour donner le change. Ma couverture le protégeait des éventuelles réactions de sa femme qui jouissait du privilège d'être la cousine au second degré du chef de l'État. Je me trouvais toujours à sa table, servi avec déférence par des garçons zélés, mangeant fin, buvant du bon whisky. Je n'oubliais pas devoir tout cela à ma mère, et à y penser j'en profitais avec encore plus de rage au cœur. Danser avec la belle du colonel Dumornay, c'était mon travail, mon boulot. Le commun des mortels n'apprécie pas le métier d'être beau, élégant, l'art de l'humour et celui du plaisir. Cela ne vient pas seul pourtant, il faut l'apprendre, il faut gaffer des fois, savoir profiter des expériences de chaque nuit, performer mieux le lendemain. Un mot déplacé ou un petit verre de trop peut aisément compromettre une nuit d'amour très lucrative. A cette phase de ma vie, je pouvais apprécier l'éducation reçue de ma mère, elle avait fait de moi une belle bête d'amour, un vendeur de bonheur. Le colonel mettait la touche finale au travail commencé par Maman. Homme du monde achevé, il le restait même chez les putains des bordels sur la *frontière* où nous allions parfois danser la guaracha, même quand il avait plus d'alcool que de sang dans les veines.

Grâce aux relations du colonel, on m'enrôla comme orphelin mineur d'un magistrat dans un registre de la division des pensions du département des Finances. A ce titre je recevrais un chèque de mille cinq cents gourdes pendant trois ans encore, jusqu'à ma majorité. Une petite fortune! D'ici là on verra, m'avait dit mon mentor. J'avais amplement de quoi payer ma chambre, mes repas, mon entretien et mettre quelques gourdes de côté. Et m'initier à la vie de la nuit sous la houlette de mon maître. On se plaisait, la maîtresse du colonel et moi. Il arrivait à mon patron de s'enticher passagèrement d'une autre minette, mais Kétina demeurait sa préférée. Kétina, une toute jeune fille, pauvre mais foutrement bien roulée. Elle adorait rire, boire et se sentir désirée. Et il me la livrait, le colonel, il jouissait de nous voir danser ensemble, bien enlacés sur la piste. Le colonel se délectait de mon plaisir, de mon sexe brûlant plaqué contre celui de sa maîtresse sur la piste de danse, du vertige qui nous forçait à nous souder l'un à l'autre pour ne pas tomber. Il nous observait, le colonel, un sourire oublié sur ses lèvres, anticipant des plaisirs où nous nous retrouverions tous les trois intimement impliqués. Après le bal, il me ramenait généralement chez moi et partait finir la nuit avec sa belle, mais un soir sa Pontiac prit la direction de Pétion-Ville et nous conduisit tous les trois dans son chalet de montagne.

Félix continue son voyage. Il a allumé une cigarette, sa première de l'après-midi. Je le vois sous mes paupières fermées. Il tire délicatement le bâtonnet blanc de derrière une oreille. Une Comme il faut mentholée. Puis il le regarde quelques longues secondes, les plis du visage bien tassés, avant de le placer avec précaution au coin de ses épaisses lèvres. La boîte d'allumettes surgit toujours dans sa main comme par un tour de magie. Ah!... l'odeur de la première bouffée de tabac... mêlée au parfum âcre du souffre de l'allumette qui vient de brûler. Par réflexe ma poitrine monte et descend comme si j'aspirais moi-même cette fumée qui réconforte. L'effluve du tabac est aussi l'un des repères de ma vie. Une réalité à la fois solide et volatile, certaine et évasive, comme toutes les choses de la vie, comme cette chambre de pension qui me retient dans son cocon, le manguier aux bras immenses de la cour, les caprices de la lumière, mes vêtements et leur histoire qui m'attendent dans l'armoire.

Je bâille longuement. La faim commence à me tenailler. Mes intestins gargouillent de temps en temps. Vers une heure, Félix a monté le plateau du déjeuner et l'a déposé sur la commode sans faire de bruit. Mais je n'ai pu que grignoter un morceau de banane verte et boire le verre de jus de chadèque bien frais pour soulager mon estomac en feu. Je me suis tellement régalé des mets épicés de chez Fabrice hier soir que j'en garde jusqu'à présent un arrière-goût métallique dans la bouche. Il y a aussi que le café de Romaine me manque cruellement à présent. Je me demande encore pourquoi j'ai détalé comme un enfant coupable alors que j'attendais devant son étal le café qui m'aurait dégagé des griffes de la nuit. J'ai ressenti de la peur ce matin, une grande peur. Enfin… ces choses-là ne s'expliquent pas.

Parfois, en écoutant la radio de Félix, il arrive que le sommeil m'emporte par surprise. Je sombre à mon insu dans de brefs trous noirs qui me gardent quelques minutes dans leurs profondeurs sans mesure. Je rêve à des rêves que je sais bizarres mais dont je ne garde aucun souvenir. Ces instants ressemblent à une sorte de mort brève, une éclipse lourde et épaisse dont j'ai tout le mal du monde à m'extraire. Il me faut quelques bonnes secondes pour sortir de ma torpeur, remettre chaque meuble de la chambre à sa place, remonter à l'origine de chaque son, toucher des yeux la lumière du jour et réintégrer le monde réel, exercice qui me laisse généralement un peu affaibli.

Des grillons prennent leur quartier de nuit et sans avoir besoin d'échauffer leurs cordes vocales entament un concert brusque et strident. La brise est tombée. Félix augmente le volume du son de sa radio pour couvrir le scandale des bestioles. Une nouvelle tombe des ondes et je prête l'oreille, attentif.

Nouvelle de dernière heure. Ici Radio Nation. De source militaire, on apprend que le cadavre du journaliste Jean Romel Bien-Aimé a été retrouvé à la morgue de l'hôpital de l'Université d'État. La famille du journaliste disparu depuis environ une semaine a procédé à l'identification du corps qui se trouve dans un état avancé de décomposition. Nous rappelons que le journaliste de Radio Star effectuait dans le Nord-Est un reportage sur la famine qui frappe la population de la région… La mort de ce journaliste sème un grand froid dans le monde des médias. La version officielle du gouvernement est celle d'un acte crapuleux commis par des bandits qui sillonnent les pistes désertes du pays profond…

Encore un journaliste tombé. Aucun communiqué officiel ne me persuadera qu'il s'agit là d'un banal accident de la route. Il est bien le troisième journaliste disparu depuis l'année dernière dans des circonstances douteuses.

Mais ça je ne le dirai à quiconque. Je garde mes opinions pour moi. Principe élémentaire de survie sous le soleil. Si Jean Romel Bien-Aimé avait fait de même, il vivrait sûrement à cette heure. Je crois l'avoir rencontré une fois, voilà quelque temps déjà, à une soirée de levée de fonds pour soulager la misère de quelque coin perdu du pays. Il officiait comme maître de cérémonie. Il m'avait semblé un illuminé, un homme brûlant d'une fièvre permanente, tourmenté de toute la souffrance de la terre. Il ne comprenait rien, le pauvre. Ici on ne parle pas. On n'enquête pas sur la misère. On ne dénonce pas.

Six heures trente exactement. J'ai l'esprit de plus en plus clair. Mes pensées surgissent avec précision. Ma gueule de bois du matin se dissipe. J'ai le sang qui bulle. J'ai mentalement choisi les vêtements que je porterai ce soir : ma chemise à fleurs rouges sur fond blanc, mon pantalon en gabardine blanc et, bien sûr, des mocassins et des chaussettes blanches. Mes fesses se dessinent bien dans ce pantalon et il m'avantage en aplatissant un peu mon ventre. La nuit m'appelle déjà. Aujourd'hui vendredi, la société port-au-princienne des *bêtes-de-fêtes* se retrouvera dans les jardins et sur la piste de l'hôtel *Ibo Lélé*, pour boire, rire, intriguer et danser au son de la musique du groupe Bossa-Combo, l'orchestre favori du chef de l'État.

Les temps n'ont pas changé vraiment, depuis mes débuts dans la vie, depuis mes premières armes. Quand je pense que ce temps remonte à vingt ans déjà, j'en frémis. La philosophie qui prévaut est toujours celle du plaisir à outrance. Le culte de l'argent et du sexe n'a jamais été aussi fervent. Toutes les démarches tendent exclusivement vers ces deux fins, qu'il s'agisse de la politique, de la culture des intrigues, de la recherche effrénée des opportunités. Seule la mode diffère. On ne danse plus la même musique, l'orchestre Nemours Jean-Baptiste, le Grand Jazz des jeunes… du passé. Aujourd'hui, les jeunes mènent la danse. Des petits orchestres, des *mini-jazz* comme ils les appellent, amusent la jeunesse dorée. Et puis il y a les discothèques qui drainent un monde fou, des boîtes exiguës pour la plupart où l'on se déhanche sur fond de musique dingue et de lumières multicolores prises de folie de temps en temps. Les filles portent des minijupes époustouflantes qui appellent au viol et sont juchées sur des chaussures aux allures d'escabeaux. Je tiens ma garde-robe up-to-date. J'essaie de ne pas me retrouver relégué au dernier banc de l'actualité, en gardant toutefois une relative modération dans ma mise. Je fréquente les endroits à la mode.

J'ai aussi changé de clientèle. Les vieilles, j'ai laissé tomber depuis quelque temps déjà. J'ai atteint un âge où je commençais à trop m'identifier à elles. Très mauvais pour mon moral et ma performance. Et puis… elles m'ennuyaient à la fin, ces bonnes femmes qui sous l'effet de la passion en oubliaient de garder la dignité inhérente à leur âge et à leur expérience. A part Élise, j'avoue avoir toléré difficilement cette caractéristique qui revenait invariablement chez mes maîtresses du troisième âge. Elles se croyaient obligées de se conduire avec moi comme des jeunes filles, des jouvencelles trop tôt mûries. C'étaient des cajoleries, des chouchouteries, des petits noms bêtes à n'en plus finir. Pour leur faire plaisir, je devais me prêter à des jeux désuets et ridicules qui accentuaient l'écart de génération entre nous. Elles me faisaient souvent l'effet de boutons de fleurs fanés avant même d'éclore, de crépuscules lourds, sans espoir de nouveaux matins. Sous l'emprise du plaisir, elles changeaient souvent de personnalité, feignant une ingénuité grotesque. Je m'irritais de devoir toujours prendre les initiatives amoureuses avec ces femmes de qui, au contraire, j'attendais le bénéfice d'une longue expérience de la vie. Et l'on viendra me dire que la vie d'un gigolo est une partie de plaisir…

Je nage dans un nouveau vivier, les filles à marier. Celles qui s'inquiètent, mais veulent paraître libérées des contraintes sociales. Ces vierges au seuil de la quarantaine qui commencent à porter leur hymen comme une infirmité, une anomalie honteuse. Ces filles qui vendraient leur âme pour un fiancé. Je représente le parti idéal. Relativement jeune, fraîchement rentré du Canada après une vingtaine d'années d'absence (ou de France, ou des États-Unis d'Amérique, cela dépend d'un tas de facteurs) pendant lesquelles j'ai terminé des études supérieures. Je me cherche du boulot, des amis, une âme sœur dans cette société où j'essaie de m'adapter. Et je baise par-ci, je dépucelle par-là, je réveille des libidos endormies. Un champ de bataille périlleux, je l'admets. Mon principe de base est de ne pas faire des vieux os dans les maisons que j'aborde. Car les langues vont bon train et il suffit qu'une personne m'identifie pour compromettre ma proie. Je profite des gâteries de parents encore plus désespérés que leurs filles à trouver un bon parti. Il y en a qui s'emballent jusqu'à m'offrir des voyages, des postes importants et des propositions de mariage chiffrées. Je sais jusqu'à quel point m'impliquer et profiter des largesses intéressées de ces bonnes gens sans mettre en péril ma chère liberté. Mais c'est risqué… enfin, le risque ajoute du piment à la vie.

Pour être tout à fait honnête, je dois reconnaître qu'au tout début la fréquentation des dames très mûres avait aussi ses bons côtés. Pour bien des raisons. Moins de risques d'attraper des maladies, moins de compétition, plus de discrétion et une certaine tendresse dont ma vingtaine avait encore soif… Avec elles, je me sentais à la fois un enfant euphorique, capricieux, enthousiaste et un homme dans toute l'acception physique du terme. Mais… car il y a toujours un mais… Croisant une dizaine d'années plus tard l'une de ces dames, j'ai eu tout le mal du monde à dissimuler mon choc. Je flamboyais dans toute la splendeur virile de mes trente ans et la vue de cette femme me glaça. Elle était devenue décatie, ayant cessé un vain combat contre les années. La seconde que nos regards se croisent, ses yeux m'avouèrent sa défaite résignée. En elle, je prenais conscience des ravages du temps. Eh oui… le temps, ce flétrisseur de chair, ce vil arracheur de dents. Les jours et les nuits ont passé, emportant le Rico L'Hermitte de ma prime jeunesse. Je suis blasé aujourd'hui, je le sais. L'alcool et la nuit arrivent encore à me mettre dans la tête les couleurs qui pavoisaient mes vingt ans, mais elles s'estompent toujours au petit matin.

Trêve d'amertume… La nuit finira bien. Mais elle commence à peine, je pars à sa rencontre. Je vais accompagner la lumière, m'engouffrer avec elle de l'autre côté du jour. Mais avant je dois m'adonner à tout un rituel, comme un prêtre qui prépare les éléments de la messe à chanter. Ma toilette dans la grande cuvette à fleurs avec de l'eau bien froide qui me remettra la tête à sa place, une touche de brillantine pour réveiller l'éclat de mes cheveux, un gargarisme à l'eau bicarbonatée, le secret d'une douce haleine… Je boirai encore ce soir. Une soirée sans boisson est un désert, un morceau de vie perdu. Je sais que je bois trop d'alcool, du bon comme du mauvais. Je dois penser à m'arrêter… non… impossible. Mais je contrôlerai ma soif. Promis, Rico.

Après l'échauffement de la danse et de l'alcool, le froid vif de la montagne attisa notre désir. Les pistons violents du bal résonnaient encore à nos oreilles. Kétina dans sa robe *entrave* me rendait fou. Ses talons aiguilles claquaient comme des coups de pistolet sur les carreaux du chalet vide. Un feu pétillant brûlait déjà dans la cheminée d'une chambre parée uniquement d'un lit devant lequel était placé un vaste fauteuil. Sans nous faire prier, Kétina et moi nous livrâmes avec fougue au plaisir trop longtemps contenu. Le corps et les seins fermes de la jeune femme me tenaient dans un état d'excitation croissant. Je lui fis l'amour à trois reprises, presque sans répit. Les épais rideaux aux fenêtres étouffaient nos cris et conféraient à l'instant quelque chose d'irréel. Assis en face de nous, le vieux colonel savourait le spectacle en sirotant du whisky écossais trouvé dans son bar et en caressant son sexe agité de temps à autre d'un fugace soubresaut. La présence muette de notre mentor exacerbait notre jouissance mais il ne prit pas une part active à nos ébats. Il préférait savourer ses fantasmes en solitaire. Nous l'oubliâmes vite.

Longtemps le colonel, au déclin de sa virilité, nous conduisit dans son chalet pour se repaître de nos étreintes. Il nous gâtait, Kétina et moi. Une chaîne en or pour elle par-ci, une magnifique chemise Arrow pour moi par-là, dîners fins, bons vins et douce musique. Nous formions un trio inséparable, on aurait dit un père chaperonnant sa fille et son amoureux.

La rupture avec le colonel survint le jour où Kétina et moi décidâmes de nous rencontrer en lit neutre, c'est-à-dire hors de portée des yeux gourmands de notre bienfaiteur. Au fil des jours grandissait entre nous deux un attachement désespéré. Ce n'était pas de l'amour, mais plutôt une commune angoisse partagée face à la précarité de nos vies. A l'aube de nos vingt ans, nous savions déjà que rien ne viendrait changer le cours de notre destin. Nous resterions des bêtes de plaisir, des habitants de la nuit, des corps à vendre aux plus offrants. Nous aimer de notre propre gré était une manière de défier cette fatalité, le temps d'une étreinte. Notre ami devina tout de suite ce qui nous arrivait. Il le sentit aux gestes de Kétina embarrassés d'une nouvelle retenue en ma présence, à mon corps qui se dérobait au sien sur la piste de danse, à son regard fuyant le mien pour le rechercher aussitôt. Il le comprit et nous bannit de sa vie. Je craignis un instant que sa vindicte n'aille jusqu'à nous faire tabasser ou défigurer à l'acide par un homme de main, mais le colonel n'avait pas la rancune mauvaise. Il tira simplement un trait sur nos existences et chercha la complicité de nouvelles adoptions plus aguerries et soucieuses de leurs intérêts. Je retins de cette aventure une leçon importante : pour avancer sur la route que la vie me traçait, je devais apprendre à masquer mes sentiments, à maîtriser mes émotions. Devenir un maître dans l'art de la ruse.

J'entends le frou-frou du vent à travers les grands arbres du jardin, les pas pressés des travailleurs rentrant chez eux, le craquement des toitures en tôle du quartier qui se refroidissent une fois le soleil penché vers la mer. Les teintes du couchant dansent un ballet horizontal avant de disparaître, aspirées par les flots. Cette brise caressante qui déride l'heure vient du large, je le sais, je le sens, en me concentrant un peu je peux même entendre le cri lointain des goélands qui frôlent de leur vol puissant les hautes vagues à Arcachon. Je m'imagine aussi le bord de mer au bas de la ville, le quai Colomb où j'aime parfois me promener seul quand me prennent des envies de grand large. Tous ces bruits proches et lointains, envelop-pés des couleurs brûlées du crépuscule, trouvent leur écho en moi et soulèvent une douce résonance qui me rassure en mettant des balises dans mon existence. Car des fois j'en oublie ma propre identité. Je me suis composé tant de personnages, inventé tant de biographies qu'il m'arrive de me perdre dans le labyrinthe des dizaines de Rico L'Hermitte que j'ai créés de toutes pièces.

Après la rupture avec le colonel vint un temps de dérive. Désarçonné d'avoir perdu la protection de mon mentor, je ne savais comment vivre, comment voler de mes propres ailes. Je n'ai plus revu Kétina. Mon attirance envers elle disparut avec l'amitié du colonel. Je me rendis vite compte que mon engouement pour cette fille n'était au fond conditionné que par la coloration perverse que lui donnait mon maître. Finis la promiscuité et le vice, fini l'intérêt. Oui… il avait réussi à faire de moi un beau salaud, le colonel. Mais la vie continuait… ma majorité approchait à grands pas, sonnant le glas de mon allocation de pensionnaire de l'État. Je ne pouvais plus compter que sur moi-même.

La providence me sourit en la personne d'une dame chez qui ma logeuse me pria de récupérer un paquet arrivé pour elle des États-Unis. Mme Élise G…, une veuve bien installée dans sa soixantaine. Elle vivait seule dans sa trop grande villa de Bourdon, sevrée de ses trois fils partis vivre à l'étranger. Une résidence de rêve où elle semblait périr d'ennui. Ma visite inattendue devint l'évé-nement central de sa journée et elle m'offrit de prendre un café en sa compagnie. Dès que je la vis, je compris qu'elle serait ma planche de secours, mes rentes, mon assurance-survie. Mes instincts d'opportuniste prirent la situation en main. Je pouvais sentir Mme Élise, flairer sa solitude, sa peur de vieillir cachée derrière les immenses verres fumés qu'elle portait encore, malgré le soleil déjà déclinant. Sur une terrasse fleurie dominant la baie de Port-au-Prince, l'hôtesse me servit le café avec des gestes timides et gracieux. J'étais pleinement conscient de l'effet que ma présence produisait sur cette femme et de l'importance de ce moment de mon existence. Tout ce qui m'entourait vibrait d'une vie particulière, chaque objet me parlait un langage que je comprenais. Le parfum du jasmin grimpant la pergola m'étourdissait. J'avais peur et exultais à la fois. Un sentiment euphorisant qui provoqua en moi une érection incontrôlable. Il dépendait de moi, et de moi seul, de saisir la planche que la vie me tendait en la personne de cette bourgeoise. Il me fallait plonger, amorcer le saut tout de suite, le saut de l'ange au-dessus de la ville qui s'offrait à moi, à mes espoirs et à mon audace. J'admirai, fasciné, la ligne côtière incendiée par le soleil couchant. Tout à fait sur ma gauche, la baie profondément découpée dessinait un fer à cheval dont la pointe Lamentin terminait l'une des extrémités. Je touchai des yeux Martissant, Bizoton, Arcachon, si près, si loin déjà…

Élise et moi bavardâmes un peu et je lui racontai ma vie. Mon *histoire* me sortait des lèvres avec une facilité et une profusion de détails qui m'étonnèrent moi-même. Tous les romans d'aventures lus dans mon enfance, *David Copperfield, Sans famille, Les Misérables*… me revenaient en mémoire et j'en tirai un amalgame de mon cru. Je devins le fils unique d'un grand propriétaire terrien de la Grande-Anse, exportateur d'huiles essentielles, victime de la haine viscérale que la dictature naissante de l'époque vouait à l'élite mulâtre de cette région du pays. Toutes les propriétés de mon père avaient été distribuées aux partisans du régime et ses usines brûlées, alors que je n'étais encore qu'un gamin. Je n'eus la vie sauve que par un hasard extraordinaire, je chassais avec des copains sur les terres du domaine familial le jour où mon père fut lâchement assassiné. Depuis ce jour fatal, je survivais grâce à la bienveillance de quelques parents et des rares amis restés fidèles à la mémoire de mon père… Ah oui !… Un détail essentiel, je ne connus point ma mère morte en me mettant au monde. Arrivé au bout de mon récit, j'y croyais dur comme fer et mon visage souffrait sincèrement.

Je venais d'inventer mon script numéro un, celui que je réserverais désormais aux dames d'un âge très mûr. Il réussissait à tous les coups, mon air de puceau victime d'un cruel destin parachevait le scénario. Cette fable leur arrachait des oh ! et des ah ! de douloureuse surprise, ravivait leurs instincts maternels un peu sclérosés par le temps. Aussitôt prenait chair en elles un sentiment de responsabilité envers moi, elles voulaient, mieux, elles devaient m'aider, me procurer quelque douceur et un peu du confort dont j'avais été si prématurément sevré.

Je revins visiter Élise une fois, et une autre fois encore, de préférence l'après-midi. Ses chiens m'accueillaient avec des bonds de joie, le personnel de maison se réjouissait de l'humeur favorable de la patronne dès que je franchissais le grand portail de la villa. J'étais le bienvenu, le fils prodigue rentré au bercail. Élise m'offrait des présents, des petits riens qu'elle me remettait avec au fond des yeux des étincelles de plaisir. Elle ne doutait pas de la pureté de ses sentiments à mon égard. Et moi j'apprenais une chose essentielle à ma profession, la patience. Le cœur et le corps des femmes se gagnent avec de la patience, beaucoup de patience. Il leur faut du temps pour oser ouvrir le livre de leur âme, pour risquer d'y jeter un coup d'œil. Les femmes d'un certain âge, celles qui ont mené une vie vertueuse et routinière, avec mari, confort, enfants, domestiques, exigent pour leur conquête une persévérance et une constance sans failles. Car aimer un homme beaucoup plus jeune qu'elles est une étape énorme à franchir, une révolte intérieure qu'elles doivent identifier, accepter et assumer. Certaines sont plus farouches que des jeunes vierges. Élise n'osa questionner la nature profonde de la joie que mettait ma nouvelle présence dans sa vie. Il y a de ces vérités que l'on préfère reléguer dans les coins sombres de l'être car les libérer revient à risquer de subir la violence de leur nature. Mais moi, je la voyais chaque jour s'épanouir comme un fruit mûrissant au soleil de ma jeunesse. Elle me confectionnait des chemises, des horreurs qu'elle cousait avec amour, pour son fils, comme elle m'appelait. Elle ne le faisait pas pour économiser des sous, mais pour occuper son temps en pensant à moi. Je ne les portais d'ailleurs que pour lui rendre visite. Quand je pense à ma garde-robe *made in France* offerte par le colonel…

Tranquillement, patiemment, je m'installais dans la vie d'Élise. Je m'infiltrais dans son sang comme une drogue douce, la gâtant, l'affectionnant, l'affolant de petits compliments apparemment innocents. Je lui massais parfois ses pieds douloureux. Élise rajeunissait. Elle colora ses cheveux grisonnants et un soupçon de rouge sur ses lèvres honorait chacune de mes visites. Quand je la sentis bien à point, prête à laisser tomber les remparts de notre pseudo-affection filiale, j'arrêtai mes visites. Rupture totale pendant une semaine. Je jouais mon va-tout. Perdre Élise ou en faire ma maîtresse, ma pourvoyeuse. N'ayant pas de téléphone à la pension où je logeais, elle devrait trouver elle-même le moyen de rétablir le contact entre nous deux. Au bout de dix jours, je crus la partie perdue, je m'étais surestimé… Quand un billet déposé par chauffeur à la pension me confirma ma victoire. Un sourire sur les lèvres, je lus la missive parfumée, écrite d'une main nerveuse. « Mon Rico, mon fils, mon ami. » Je notai les possessifs répétés, bon, très bon… « Dix jours sans un mot de toi, sans une visite. » Elle les avait donc comptés… mmmmm… « Je suis morte d'inquiétude. Pourquoi cette longue absence ? Es-tu las de ma compagnie ? Serais-tu malade ? Découragé des jours ? Donne-moi un signe et j'accours te soulager avec l'affection toute maternelle que mon cœur te renouvelle à l'infini… » Affection ?… oui, mais… maternelle ?… permets-moi d'en douter, chère Élise…

J'avais gagné. Il ne me restait plus qu'à concrétiser ma victoire. Le fruit mûri n'attendait que mon souffle pour tomber. Je pouvais lire entre les lignes d'Élise l'émoi d'une femme troublée jusqu'aux tréfonds de son âme, bouleversée par l'évidence d'une passion inconcevable, monstrueuse, mais qui la consumait. J'attendis le jour suivant pour me présenter chez elle à une heure avancée du soir. Une façon subtile de lui signifier le changement de nature de notre relation. Finis les cinq à sept bien sages sur la terrasse.

La chair n'a pas d'âge. Moi, Rico L'Hermitte, je le dis. Sous le poids de mon corps, sous la houle de mes reins, Élise n'était rien d'autre qu'une femme amoureuse, une femelle ouverte. Rien d'autre qu'un désir exacerbé, trop longtemps refoulé qui éclatait en cris, en larmes, en serments. Rien d'autre que l'amour gommant le parcours du temps. Élise me surprit par sa fougue, elle qui paraissait toujours si timide et empêtrée dans sa pudeur. Elle devenait soudain une femme tombée en eau profonde et qui devait apprendre à nager sur-le-champ, ou périr. Comme les chiens, Élise retrouva ses instincts de nageuse et m'invita à la suivre dans les profondeurs de sa volupté. Au matin, quand je me réveillai dans son lit, sous la pâle clarté de l'aube, Élise avait vingt ans comme moi.

La radio me ramène à l'instant présent. Élise c'était hier, il y a vingt ans, quand l'insouciance balayait tous les obstacles devant moi tels des fétus de paille sous le vent. Je crois que je vais offrir un transistor neuf à Félix au prochain Noël. Je commence à supporter difficilement les soupirs de sa vieille ferraille. Un exercice frustrant à la fin. Surtout qu'il ne se résout pas à écouter une seule station. Il doit valser sur le cadran, des fois je me demande même s'il écoute les nouvelles ou la musique. N'est-il pas tout simplement en train de faire le plein de bruit sous ma fenêtre pendant près d'une heure ? Question d'oublier les propres bruits de sa tête ? L'aiguille s'arrête un instant sur Radio Congo. Une jeune voix met une légère touche jaune sur le canevas de l'après-midi. Tiens ! Je ne la connais pas cette petite. Une nouvelle recrue sans doute. Elle est vierge, j'en mettrais ma main au feu. Elle lit comme une élève du primaire, avec application et en respectant bien les ponctuations.

Chers amis auditeurs, Ici Radio Congo... Nouveau rebondissement dans le scandale des pots-de-vin à la direction centrale des Impôts. Trois cadres de cette administration sont sous les verrous, accusés publiquement par des contribuables qui ont reconnu leur avoir versé des sommes substantielles contre l'émission de faux documents relatifs à des transactions foncières... Le juge d'instruction de la juridiction de Port-au-Prince mène les premiers éléments d'enquête sur le dossier.

Je te parie que dans deux mois, que dis-je, dans deux semaines, on n'entendra déjà plus parler de cette affaire. Ces petits scandales éclatent au rythme de treize à la douzaine et finissent toujours aux oubliettes de la justice. Il arrive que l'un d'entre eux fasse les frais d'un procès à sensation, mais ce ne sont là que des occasions de donner de l'exercice aux juges, magistrats et hommes de robe, des pures parodies où quelques imbéciles sont jetés en prison pour satisfaire aux apparences. La corruption mène le pays, la corruption fait la loi. Rien ne changera si les mentalités demeurent toujours aussi pourries. Les journalistes le savent, mais ils continuent à exposer leur vie en enquêtant sur des sujets risqués. Est-ce par désœuvrement ou serait-ce qu'ils croient vraiment faire un travail utile ? En tout cas la tendance continue de s'affirmer. Parce qu'on aura beau dire, de petits scandales en dénonciations, de caricatures en dérision, l'image du gouvernement en prend un coup et il y en a qui ne doivent pas aimer... Qu'en sortira-t-il ?

Je vois tout cela avec un cœur oppressé. Ceux qui s'amusent à rapprocher le feu de la poudre sauront-ils endiguer le flot des flammes qui déferlera ? Enfin… je ferais mieux de penser à autre chose. Moi je ne compte pas, je suis une fourmi, un citoyen de l'ombre, je ne paie pas d'impôts mais je crois en la pérennité des institutions. Je me dis que cela peut toujours être pire. La pauvreté, je connais, je suis arrivé à m'en sortir. Alors que chacun fasse de même, sans soulever de vagues, sinon le bateau chavire…

De la vingtaine jusqu'au début de la trentaine, je me suis spécialisé auprès des dames comme Élise. J'en comptais en permanence deux ou trois dans mon répertoire, avec chacune ses jours de visite. Je revois Janine… frêle et timide sous les draps… Charlotte, elle, réclamait l'obscurité la plus totale pour s'ouvrir… Quant à Lucienne, elle connut son premier orgasme à soixante-quatre ans… Grâce à l'ami Rico. A quelques rares exceptions, elles n'étaient pas très exigeantes au lit. Passé les premiers feux de la passion, une visite hebdomadaire et une séance au lit toutes les deux ou trois rencontres les satisfaisaient. Elles ne tenaient pas trop aux sorties en public, rarement une séance de cinéma ou un dîner dans un restaurant discret. Je payais mon loyer, mes repas, m'habillais à la pointe de la mode, me parfumais généreusement (j'ai un faible pour les bons parfums français) et l'argent de poche ne manquait pas.

Avec le recul, je me demande pourquoi m'attiraient ces femmes d'un âge certain, mis à part la sécurité matérielle qu'elles me garantissaient. Je crois qu'en les fréquentant, je perpétuais mon amour pour ma mère. Bizarrement, je crois que je les aimais et les haïssais à la fois. Oui... je recherchais inconsciemment la complicité qui existait entre Maman et moi. Cet amour qui m'attirait et me repoussait à la fois, ces sentiments dont je n'étais jamais tout à fait sûr. Étrangement, les ruptures avec ces maîtresses à la peau fanée renouvelaient en moi l'absence de ma mère. Comme ce soir où Élise débarqua en catastrophe dans ma garçonnière. Elle venait me prévenir de l'arrivée impromptue de son fils aîné vivant en Europe et me prier d'annuler notre rendez-vous du lendemain. Elle aurait pu m'envoyer un mot par son chauffeur, mais elle voulut m'offrir la surprise de sa présence. L'amour la rendait audacieuse et imprudente. J'entendis frapper à ma porte. A moitié dévêtu, l'esprit ailleurs, j'ouvris, pensant qu'il s'agissait d'un copain habitué de ma chambre ou d'un domestique de la pension. Pendant qu'elle me parlait, Élise aperçut dans mon lit le corps nu de Sonia, une donzelle du quartier dont la jeune chair me rafraîchissait de mes exercices commandés. Je vis son visage qui, la seconde d'avant rayonnait d'une joie tout éthérée, s'étonner et se flétrir soudain. Elle ne hurla pas, ne pleura pas. Digne, Élise ne laissa pas éclater sa souffrance que je sentais pourtant palpable sur le pas de ma porte. Elle repartit presque en courant.

Élise ne voulut plus me revoir ni entendre mes prières. Des ordres stricts me gardaient sa barrière fermée. Après quelques tentatives, je compris la futilité d'insister. Ma trahison avait ouvert en son cœur une horrible blessure qu'aucun mot ne pouvait guérir. J'avais gaffé et méritais ma défaite. Je m'étonnai du vide que laissa en moi cette séparation. Comme si en plein orage on m'enlevait l'abri sous lequel je prenais refuge. Mais comment pouvait-elle penser que je me satisfaisais de notre liaison? Comment pouvait-elle s'illusionner sur ma fidélité? Ignorait-elle que pendant qu'elle rêvait de moi la nuit, bien sagement dans son lit, des boîtes de nuit vendaient de la musique et de l'alcool à des hommes et des femmes assoiffés de plaisir? Ne pensa-t-elle pas un seul instant que pour me sauver du poids de notre relation, je devais fréquenter des jeunes femmes au maquillage criard, aux aisselles poilues et musquées pour me sentir un homme, un vrai? Comment aurais-je pu me contenter des minauderies d'Élise? Était-elle à ce point naïve? La vie venait de m'apprendre deux nouvelles leçons. L'une, les femmes sont jalouses et possessives à tous âges, surtout lorsqu'elles entretiennent un homme. L'autre, il est périlleux de leur laisser connaître son adresse personnelle.

Chers amis auditeurs, Radio Capitale vous remercie de votre écoute et de votre fidélité. Aujourd'hui vendredi, avant de clôturer l'émission de nouvelles, nous vous rappelons, comme d'habitude, le programme des divertissements du week-end : après une semaine de dur labeur, la boîte de nuit Sous les Étoiles *reste le coin idéal de détente garantie par la musique entraînante de l'orchestre Astros. Vous aurez également le plaisir de vous divertir au rythme compas du groupe Bolo-Bolo, dans les jardins de l'hôtel* Dolce Vita. *Pour ceux qui préfèrent une ambiance plus calme, plus champêtre, retrouvez le trio Les Troubadours sous la tonnelle du restaurant* Chez Cator. *Et bien sûr, le bal des bals du vendredi, le rendez-vous chic du week-end est à l'hôtel* Ibo Lélé *où le groupe Bossa-Combo...*

Félix a déjà changé de latitude sur le cadran, il devient frénétique. Il reprend bientôt son service. Six heures trente exactement. Vendredi soir. Moi, je vais à l'hôtel *Ibo Lélé.*

Pour l'homme du monde que je prétends être, il n'y a pas ces temps-ci d'autre destination le vendredi soir. *Ibo Lélé* est l'endroit où voir et être vu. Je sais déjà la coloration de l'assistance que j'y trouverai. *Of course,* les hommes forts du moment, les hommes à la mode, la deuxième génération au pouvoir, ceux qui gravitent autour du chef de l'État, jeunes militaires, jeunes ministres tout-puissants et leurs amis. Évidemment, il y aura les plus vieux aussi, les fidèles de l'ancien régime qui se refont une jeunesse et sont la vivante concrétisation du concept du pouvoir *à vie,* une génération après l'autre. Pourtant le télédiol affirme que la belle machine dictatoriale craque. Le bateau commence à faire eau. La cohabitation entre les deux générations au pouvoir est malaisée, la confiance n'existe pas, les animosités et les conflits d'intérêts s'accentuent de jour en jour, devenant plus difficiles à contrôler et à dissimuler. Le chef de l'État, occupé à ses plaisirs, laisse couler son héritage comme du sable fin entre ses doigts. Il se repose sur la fidélité d'amis sûrs pour engraisser ses comptes en banque helvétiques. Moi, j'ai du mal à croire en la fragilité de ces hommes tout-puissants. Tels les dieux de l'Olympe, ils me paraissent capricieux et éternels. Ils deviennent bruyants quand leur alcool prend chair, prodigues d'argent et de faveurs.

A *Ibo Lélé* ce soir, les gros pontes, les grands commerçants et industriels qui sentent le fric à plein nez prendront place aux tables les mieux placées. Bien sûr, quelques artistes connus, les enfants gâtés du régime feront souffler, rien que par leur présence, un vent de folie sur la soirée. Sans oublier la nuée de satellites en orbite autour de ce beau monde, maîtresses et rivales qui mènent une guerre froide à coups de bijoux et de vêtements luxueux, d'orchidées à la coiffure, quand elles ne s'empoignent pas carrément par les cheveux. N'y manqueront pas les putes de plus ou moins bon aloi, les nymphomanes et alcooliques, les opportunistes de tout poil. Je me range dans cette dernière catégorie. Mon instinct me recommande d'éviter de frayer dans les grandes eaux du pouvoir. Je flaire depuis quelque temps la décadence à l'horizon. Alors, je me tiens à distance des gros morceaux, je place mes ambitions plus bas et évolue dans la société des petits-bourgeois en transfert de classe, qui donneraient beaucoup pour s'acheter un nom, pour assurer à leur descendance une nuance plus claire de peau.

Je ne sais par quel moyen je me rendrai à cet hôtel perché sur le flanc de la Montagne-Noire. Je ne m'en préoccupe pas trop puisque j'y parviens toujours, comme tous les dimanches je me débrouille pour arriver au *Lambi Night Club* jusqu'à Mariani, près de la mer. Si la chance ne m'envoie pas une roue-libre, j'irai en camionnette publique jusqu'à Pétion-Ville, puis de là je me taperai à pied le trajet jusqu'à l'hôtel. Je n'aime pas trop gravir cette pente raide. L'inconvénient est que j'arrive en nage et déjà fatigué. Heureusement que neuf fois sur dix je trouve en cours de route un fêtard voituré qui me prend à son bord. Donc, ce soir encore, je compte sur ma chance et mes relations. A quoi bon se stresser dans la vie ? La providence arrange toujours les choses dans le bon sens. Il suffit de rester positif et optimiste. Un des ces jours, je finirai bien par me faire offrir une voiture. Pour mes quarante ans, ce serait génial d'être enfin autonome dans mes déplacements. Afin de forcer ma chance, je prends des leçons de conduite chaque samedi après-midi. Il s'agit maintenant de trouver celle qui me procurera ma bagnole…

Un souffle vif s'engouffre par la fenêtre et soulève les rideaux. Il fait plus frais à présent. Un vrai délice sur ma peau brûlante. Le clocher de Saint-Louis-Roi-de-France égrène sept longs coups. Félix et sa radio se sont évaporés. La soirée entre dans une autre dimension. Le parfum vert des arbres m'arrive, pendant que la nuit avance d'un pas vers les hommes. Des planètes bougent, des anges changent leur vol de cap. Les chiens de la rue s'étirent, secouent leur torpeur et leurs puces avant de prendre poste aux portails de la nuit. Le ciel prend une teinte d'or et de rose mêlés. Une nuance d'une violente tendresse. La mer a depuis un bon moment avalé le dernier morceau de soleil. Les minutes s'enfilent sur le temps comme des perles sur le fil d'un collier. Je vais me lever bientôt. La fragrance végétale flottant alentour m'enveloppe le cœur comme une gangue. Une senteur qui me ramène à mes débuts, à mon enfance, à ma mère. La même sensation me reprend chaque fois que m'arrive cette odeur d'écorce et de feuilles froissées. Odeur d'essentiel, de vérité à laquelle je n'échappe point. Cet effluve sollicite ma mémoire, interpelle mes émotions, déniche les vérités que je me cache. Quand je suis rentré ce matin à l'aube, il m'a saisi à la gorge, dans la rue. Mon cœur a battu très fort, j'ai eu peur, pas de quelqu'un, ni de quelque chose, mais de moi-même. Je n'ai vraiment peur que de moi-même.

Hier soir... un jeudi soir chez Patrice qui me colle à la peau comme une sangsue, une bouche dévorante. J'ai rencontré Patrice il y a quelques années chez sa tante Hildegarde, une *amie*. Il est au début de la cinquantaine, pas beau mais bien bâti, l'allure faussement négligée. Il porte sur les choses et les êtres un regard lucide, ne se souciant guère des apparences. J'ai apprécié dès notre première rencontre sa réaction neutre quand il a compris le genre de services que je rendais à sa tante. Patrice n'a généralement pas d'états d'âme. Il m'a invité chez lui, sans façon. Patrice est sculpteur, un génie de sculpteur. Ses créations démesurées occupent les halls de nombreuses galeries d'art outre-mer et les parcs de riches demeures d'Amérique du Nord et d'Europe. Il n'y voit là rien d'extraordinaire. Il aime tout le monde, Patrice. Les hommes, les femmes, mais les hommes surtout. Son salon est une référence. Une nuée d'amis gravite sans arrêt autour de lui, jeunes militaires, peintres, sculpteurs, musiciens, danseurs, ministres, maîtresses, journalistes locaux et étrangers, curieux, homos, dealers et bien sûr la gigolaille dont je suis, moi Rico L'Hermitte. On trouve de tout chez Patrice, de la bouffe et de l'alcool à toutes les heures du jour et de la nuit. Des euphorisants aussi, de l'herbe, des pilules, de la cocaïne. Je me tiens loin de la drogue, question de prudence, par souci d'économie aussi, ces saloperies coûtent cher une fois qu'on ne peut plus s'en passer.

Donc, hier soir c'était jeudi chez Patrice. Me voilà repris de la même angoisse. Ma verte anxiété. Je ne compte plus les jeudis passés chez Patrice, mais celui d'hier soir me semble le premier. Je me trouvais en compagnie de Fabiola, Sophia et Huguette, des habituées de la maison, comme moi. Et puis un type s'est joint à nous, mais après, sur le tard. Un homme mince, aux traits fins, un beau visage, trop beau pour un homme. Il paraissait très timide. Il nous a observés de loin toute la soirée. Mes copines s'amusaient avec moi, innocemment d'abord. Nous sommes de la même race, nous fréquentons le salon de Patrice pour les mêmes raisons, lever du gibier. Mais ce soir-là nous n'avions rien accroché. Un troubadour venait juste de gratifier l'assistance d'une sérénade très applaudie, un persistant parfum de nostalgie flottait dans l'air après sa performance. La maison de Patrice brillait de mille feux, on aurait dit un fanal géant de Noël. Dans le grand parc, les immenses sculptures de bronze auxquelles je ne m'habitue jamais conféraient une allure fantasmagorique au décor. L'eau de la piscine siphonnait une grande part de lumière, tel un immense saphir liquide. Des hommes et des femmes batifolaient nus dans l'eau. Généralement, à partir d'une certaine heure l'assistance se réduit à un petit cercle d'intimes et d'habitués de la maison. Vers minuit, une heure du matin, mon quota d'alcool approchait dangereusement son seuil de saturation, Fabiola, Sophia et Huguette étaient dans la même situation. Sur les sofas confortables disséminés dans le vaste salon et sous les vérandas, des petits groupes se formaient et les libertés devenaient plus osées, plus évidentes. Patrice se faisait masser par un copain, ils étaient nus tous les deux. Des soupirs montaient des canapés profonds. Les choses prenaient une allure plus lourde qui me plaisait assez. Dans ce genre d'ambiance, j'apprécie de faire l'amour pour le plaisir, sans penser au pain que je gagne. Mes trois amies se mirent nues aussi. Elles étaient complètement parties. Naturellement, elles commencèrent à se caresser, si belles sous l'éclairage qu'une main magique avait tamisé. Je me mélangeais à leurs corps, jouissant de leur plaisir, mordillant ici et là un téton ou une oreille.

Au milieu de nos ébats, j'ai senti le poids d'un regard peser sur ma nuque, sur tout mon corps. Le jeune homme à la belle gueule occupait encore la même place, dévorant notre groupe de ses grands yeux. Il tenait un verre entre ses doigts effilés et sirotait son whisky en nous regardant sans ciller, fasciné. Huguette chuchota quelque chose à l'oreille de Fabiola. Elles partirent d'un éclat de rire. Huguette se leva et prit l'inconnu par la main. Il hésita un moment, pas longtemps, et nous rejoignit.

Dans la maison de ma mère, des parfums différents ponctuaient les instants de la journée. Le crépuscule ramenait les effluves tendres dont elle s'enveloppait pour attendre l'amour. La nuit, la pénombre de la demeure subissait l'assaut des fortes odeurs mâles. Menthe, eau de Cologne, tabac, brillantine, et plus tard relents de sueur et d'effort. Au petit matin, la maison fleurait l'amour rassasié, l'abandon, la semence d'homme. Mais j'aimais surtout le fumet de la cuisine de maman. Elle n'était pas une cuisinière très imaginative, sa panoplie de recettes se limitait à des ratatouilles de légumes agrémentées de lard, de crabes ou de bœuf, servies sur un lit de riz blanc, ou encore de haricots en purée dans laquelle flottaient des morceaux de bananes vertes et des domboy, ces fameux beignets de farine dont je raffolais tant. Le soir notre menu comprenait surtout des bouillies de toutes natures, riz, maïs, banane, dont l'exquis fumet parfumé de vanille embaumait la maison et la rue.

Voilà pourquoi j'aime Floriana, la marchande de manger du marché Salomon. Une vraie belle négresse, Floriana. Pas jolie dans le sens commun, mais d'une beauté qui transpire de toute sa personne. Elle a pondu cinq enfants mais son corps garde une incroyable fermeté. Son touffé aux légumes est aussi bon que celui de Maman. Je visite Floriana trois ou quatre fois l'an. Elle opère sur un espace de deux mètres sur deux en plein cœur du marché. Aidée de deux de ses filles, elle fournit à manger aux marchandes, acheteurs, portefaix, camionneurs qui fréquentent la zone. Sa réputation de cordon-bleu s'étend jusqu'à Carrefour-Feuilles, les habitants des quartiers derrière le grand cimetière la connaissent, même ceux du morne Lélio envoient leur service à cantine chez Floriana. J'aime être dans son giron. Une maîtresse femme, cette bougresse. Les jours de dèche, je peux compter sur elle, elle me nourrit et me glisse quelques billets dans la poche. Elle ne demande presque rien, une petite virée parfois au dépôt de charbon, à même le sol, étendus sur des sacs de toile. J'aime son déodorant bon marché, sa sueur, la fumée de charbon de bois qui imprègne ses cheveux, l'odeur des épices diverses mêlées à celle de sa chatte énorme. Un beau fruit bombé, aux lèvres charnues et bien lubrifiées dans lesquelles je fonds tout entier. Je dois respirer profondément et laisser mon regard errer sur les sacs de charbon empilés jusqu'au plafond, les paniers et cageots vides et tous les objets parant ce lieu insolite dans lequel nous nous réfugions pour ne pas me vider aussitôt que je la pénètre. Floriana m'est reconnaissante du plaisir que je lui donne, des petits mots pervers que je lui susurre en français à l'oreille. Elle est heureuse de me savoir dans sa vie, moi, le beau mulâtre qui la venge des mauvais traitements de son camionneur de mari. Je me sens bien dans cette atmosphère sans façon et sans prétention du marché. Les paroles grivoises planent à longueur de journée. Les rires gras fusent. On s'attrape vertement, on se raccommode après, sans problèmes. On vit sans honte sa misère. Je reste toujours une heure ou deux, assis sur une petite chaise basse, à quelques mètres de ma Floriana, à fumer et à regarder ces petites gens vivre leur vie, loin de l'ambiance des salons bourgeois. Un réseau d'informateurs, depuis l'entrée du marché sur la rue Monseigneur-Guilloux jusqu'à la limite de l'avenue Magloire-Ambroise avertit ma belle en cas de visite inopinée de son homme. Je n'ai plus qu'à filer en douce, suivi du regard alangui de ma maîtresse femme et de celui plein d'envie des autres bougresses de la place qui la respectent et la jalousent en même temps. Et cela me fait un bien fou. Je me recentre. Je me sens un peu chez moi dans cette ambiance plébéienne, parmi les mouches et les relents d'afiba. Je bois du bon clairin vierge trempé avec des feuilles aux vertus indéniables. Les jeunes marchandes aux fesses bien dodues, au rire canaille, me rafraîchissent. Il me faut toucher à cet autre pôle de ma réalité, mon équilibre en dépend. Pardonne-moi, Irène.

Oui, la vie sait être belle. Je m'étire, respire à fond. Les minutes dévalent la pente du soir. Déjà quinze minutes après sept heures. Il est bien parti le soleil. Je vais fumer une dernière cigarette avant de faire chauffer mon moteur. Je suis bien dans ma peau. Pourtant... la même angoisse, fugace, évanescente, traverse mon corps, juste en mon milieu, me partageant en deux. J'essaie en vain de retenir les deux parties de moi-même qui m'échappent. Une sensation si légère, si subtile que je doute de l'avoir éprouvée. Cela m'arrive chaque fois que les arbres libèrent leurs verts effluves. Ils me parlent à moi, les végétaux, ils l'extirpent de moi, mon angoisse. Ils me la mettent sous le nez. J'ai beau prétendre l'ignorer, elle me pèse quelque part comme un léger malaise dans la tête, qui ne part pas. Est-ce de savoir que j'aurai quarante ans bientôt? Quarante ans, c'est beaucoup et c'est peu à la fois. Avec l'âge les perspectives changent. J'ai encore toute ma puissance physique, je tiens bien la nuit, pas de problèmes majeurs de santé, je ne suis pas recherché par la police ou la milice, j'ai des relations là où il faut. Qu'est-ce alors ? La peur de me retrouver seul, face à moi-même ? De regarder droit dans les yeux Rico L'Hermitte, l'étranger qui porte mon nom, celui qui a passé la nuit d'hier chez Patrice ?

L'angoisse de la découverte. Le refus de l'évidence. Je n'en veux pas de cette évidence, je lui fous mon pied au cul. Un accident, voilà ce que c'était… la seule explication possible. Je ne suis pas homo, quand même… J'aime les femmes, leur corps, leurs secrètes chaleurs, et même si je les utilise, je leur voue le meilleur de moi-même depuis mon âge le plus tendre. Dans ma vie j'ai rencontré toutes sortes de mecs. Des réguliers, avec épouse, enfants au foyer et une ou deux maîtresses (question de principe), des bisexuels bien confortables derrière le paravent conjugal, des carrément homos qui ne s'en cachent pas. Plus d'une fois, des hommes m'ont fait des avances, évidentes ou subtiles. Je me garde de juger les penchants des autres, mais moi, l'amour avec un homme me laisse indifférent. Je trouve grotesque l'accouplement de deux virilités. Mais… le gars d'hier soir… chez Patrice… est venu bouleverser mes données…

Mon cœur bat plus vite à présent, alors que la scène se renouvelle sous mes paupières avec une précision cruelle. Le brouillard se dissipe. Je voudrais me mentir, effacer ces données de la boîte de ma mémoire, mais mon sexe qui durcit par petits spasmes entre mes cuisses est sourd à mon tourment. Il vit de sa propre vie, exige son propre plaisir, indépendamment de ma volonté. Je ferme les yeux, respire à fond, essayant vainement de penser à autre chose. Les images ne partent pas, elles prennent chair dans ma chair... Nous dérivions à ce moment-là sur le grand canapé mauve, Huguette, Fabiola et moi. Sophia gisait sur le parquet, défoncée à l'alcool et aux amphétamines. Nos verres ne désemplissaient pas. Patrice a entraîné les garçons de service à être efficaces et invisibles. Quand il nous a rejoints sur le canapé à la demande d'Huguette, la présence de l'inconnu a envahi ma tête et pompé tout mon oxygène, me laissant le souffle court.

Les filles le dévêtirent bien vite, en gloussant. L'ombre de la nuit s'engouffra dans son corps fragile, poilu seulement aux aisselles et au pubis. Un corps de femme, à la peau délicate, étrangement agrémenté d'un pénis long et mince qui pointait sur le côté. Une vue insolite qui me troubla plus que je ne voulus me l'admettre. A cet instant-là, j'aurais dû me retirer de la partie. Je rencontrais sur ma route un point de chute. Je m'en abstins et pour cause. Quelque chose m'annonçait la fin d'un temps. Un glissement dans l'itinéraire de mes jours. J'aurais dû chevaucher Huguette ou Fabiola, elles ne demandaient pas mieux. J'aurais dû me défaire avec elles de la charge de violence qui m'emporta à ce moment-là. J'aurais dû, j'aurais dû… Mais je ne le voulais pas vraiment. Quelque chose m'arrivait que je ne pouvais éviter, quelque chose d'inéluctable, comme la mort. Je marchais vers ma mort. La mort de Rico L'Hermitte. La mort de l'image que je portais de moi-même.

Huguette alluma un joint qu'elle passa à la ronde. Quand vint mon tour, j'en tirai une longue bouffée, puis une autre que je gardai longtemps dans mes poumons, jusqu'à les sentir sur le point d'éclater. Je refilai ensuite le bâtonnet de cannabis au bel inconnu. Je ne fume généralement pas de l'herbe. Pourquoi ai-je fumé hier soir ? Pour ne pas comprendre mon trouble ? Pour accepter mon désir exacerbé par ce corps d'homme près de moi ? Pour aller au-delà de mes limites ? Quelques minutes après je flottais en dehors de mon corps, aussi léger que les volutes de fumée s'en allant au plafond. Une douce euphorie m'amenait loin, très loin de mes derniers scrupules. Les filles se faisaient des attouchements qui leur tiraient des plaintes de plus en plus sauvages. Je ne pouvais plus contenir mon désir, il me rendait fou. Il était nouveau et exigeait du sang nouveau. Le jeune homme et moi nous retrouvâmes tout près l'un de l'autre. Nos mouvements, nos gestes malaisés nous ramenaient toujours l'un à l'autre, au milieu du plaisir désordonné des filles. Je découvrais un corps plat, sans attraction, sans rondeur, qui épousait le mien et ouvrait des gouffres dans mon être. Je jouissais, effaré, de l'électricité provoquée sur ma peau par l'effleurement d'un membre aussi tendu que le mien. Les lèvres douces et chaudes de l'inconnu cherchaient timidement les miennes… Un baiser au goût de vertige scella notre complicité et consacra ma déviance. Après quelques préliminaires maladroits, sans dire un mot, me parlant seulement le langage troublant de ses yeux, l'homme au visage de femme s'offrit à moi. Ses fesses à la peau plus pâle que le reste de son corps mettaient une tache claire dans la pénombre. Je ne pouvais plus, je ne voulais plus lutter contre la houle violente et animale de mon désir. Un être inconnu agissait en moi, commandait à ma place et j'obéissais. Je me mis à genoux et dans un mouvement d'inexorable possession calai sous mon ventre la croupe de l'inconnu que j'ouvris d'un brutal tour de reins. Surpris par ma force, il hurla et tenta de m'échapper. Je le retins en enserrant sa taille de mes deux bras, comme dans un étau. Alors, la tête envahie de ses couinements de douleur mêlés aux rires hystériques des filles, je m'enfonçai encore et encore dans son corps étroit, dans sa chair écartelée, dans une félicité sans nom et sans aucun horizon.

Je lutte contre la nausée qui m'envahit soudain. J'ai faim. Je n'ai pratiquement rien mangé depuis ce matin. Mais mon malaise n'est pas seulement physique. La nausée habite aussi dans ma tête, dans ma vie. Je prends mon bibelot de communiant, l'étreins contre ma poitrine. Ma dernière part de pureté. Je vois ma mère approcher mon lit, souriante. Elle porte la capeline de paille blanche achetée à l'occasion de ma première communion. Elle est belle, Maman, gantée de mitaines, ses jambes au galbe parfait gainées de bas de soie avec une raie sur les côtés. Les petites marguerites sur sa robe perdent leurs pétales à chacun de ses mouvements. *Je t'aime, un peu, beaucoup, passionnément ?... Je t'aime à la folie, Irène.* Elle était la plus jolie de toutes les mères ce dimanche-là. Le morceau de pain que le prêtre a glissé dans ma bouche, je l'ai mangé en adressant une prière à Dieu. Qu'il n'y ait plus sur terre que ma mère et moi, à jamais. Tu es partie trop tôt, la mama. Je ne savais plus que faire de ma vie, de mon corps. Je l'ai vendu, comme tu vendais le tien. Mais toi, tu m'avais, comme un espace de pureté où te réfugier. Je représentais ton meilleur, ton fruit, ton innocence. Moi je n'ai plus rien… plus rien. Maman me caresse le front, promène ses doigts parfumés dans mes cheveux, elle me couvre le visage de baisers et me chuchote des mots qui me rassurent. Et je m'endors. Je me retrouve sur la plage, à Arcachon. Derrière moi respire une immense habitation plantée d'arbres fruitiers. Le soleil n'y pénètre pas tant les arbres sont nombreux et touffus. A ma droite et à ma gauche je ne vois que des terrains vides occupés seulement par des chevaux et des vaches qui broutent. J'entends siffler le train qui emporte vers Port-au-Prince de pleins wagons de canne à sucre. Le vent qui vient de la mer charrie des odeurs fortes de varech et de coquilles vides de lambi. Une odeur immense et bleue, un parfum qui a une âme et un corps. J'aime rester dans le vent de la mer, les bras étendus, les pieds dans l'écume, face au ciel. A étreindre cette senteur de vie, la tête pleine du chant des vagues qui moutonnent à perte de distance pour venir mourir à mes pieds. Je suis un gamin face à l'immensité de l'eau, avec sur les lèvres le sel et le soleil. Au creux des vagues j'aperçois une forme, un objet blanc. Au fur et à mesure que la marée l'apporte vers moi, les contours de la chose se précisent. C'est une grande statue de la Vierge de la Miséricorde, voilée de blanc et parée d'une longue robe bleue. La statue avance, je la distingue mieux à présent.

La Vierge porte dans ses bras un enfant. Je regarde de plus près, je reconnais les traits du petit être blotti contre le sein de sa mère. Il me ressemble à s'y tromper. La Vierge, c'est Maman. Nous flottons sur les vagues, ballottés par les mouvements de l'eau. Je suis bien avec toi, Maman, j'irai où tu voudras. Ne me laisse jamais seul.

Je me réveille en sursaut. J'entends cogner mon cœur contre ma poitrine. Je me frotte les yeux pour libérer mes paupières. Un coup d'œil à l'horloge, j'ai dormi exactement douze minutes. Sept heures trente. Il est temps d'allumer. L'abat-jour diffuse un grand rond de lumière jaune qui prend possession de certains objets de la chambre et en laisse d'autres dans un silence renouvelé. Je me mets debout, regarde par la fenêtre. L'ombre a étendu ses ailes sur la rue. Il fait bleu sombre. Je ne vois plus des arbres que leurs contours. Comme un automate je commence ma toilette. J'attrape les objets sans même les chercher. Ma serviette se trouve toujours à la même place, sur la poignée de la porte de la salle de bains. J'y entre, l'ampoule de cette pièce a grillé la semaine passée. Je n'arrive pas à me rappeler d'en acheter une autre. Je trouve la savonnette, l'eau dans la cuvette est froide. La pompe qui fait monter l'eau est cassée depuis des lustres. Félix doit s'échiner à monter des seaux d'eau dans toutes les chambres. La magistrate ne lève pas le petit doigt. Je me tiens debout dans la douche et m'asperge le corps à l'aide d'une timbale. L'aiguillon de l'eau glacée me cingle comme un coup de fouet, blesse ma peau encore un peu endormie. J'en perds le souffle un instant, puis mon corps s'habitue. Je me lave bien soigneusement et m'essuie avec des gestes vifs.

Je retire mes vêtements de l'armoire. La chemise en voile de soie me caresse doucement le visage, mon électricité l'attire et elle se colle à moi. J'aime sentir le contact de ce tissu sur ma peau. Les fleurs rouges émergent du fond blanc comme de grandes lèvres écarlates qui me happent. Elles m'avalent et me rejettent ensuite à la nuit avec du sang neuf dans les veines. Chacun de mes vêtements a son histoire, ses souvenirs et me ramène invariablement à mes maîtresses puisque ce sont elles qui me les offrent ou me fournissent les moyens de me les procurer. J'ôte du cintre mon pantalon à la blancheur immaculée. Il porte encore l'étiquette du blanchisseur que j'enlève. Je trouve sur la commode le flacon de Griffin qui donnera une nouvelle jeunesse à mes chaussures blanches. Je me sens de mieux en mieux.

Dehors les bruits et les images sont en mutation. Subtilement, la topographie de la rue a changé. De la musique s'élève des transistors portés à bout de bras par des promeneurs. Des marchandes de fritures ont installé leur bataclan aux carrefours, sous les lampadaires. Des odeurs de manger s'infiltrent dans l'air, dans les cuisines du voisinage mijote le pot-au-feu du soir. Une autre clientèle occupe l'asphalte, celle des chômeurs qui ont dormi tout leur soûl durant le jour, des amoureux anxieux qui se cherchent, des bonnes qui rentrent chez elles, des écoliers mémorisant sous les poteaux électriques de pleines pages de dissertations pour le prochain bac. Des petites filles sautent à la corde sous les galeries pendant que leurs frères jouent au soldat-marron. Mon heure à moi.

Il existe une fleur étrange à la pension. Une locataire, depuis trois mois. C'est bien la première fois qu'une femme loge ici, en dehors de ma veuve de patronne. Un joli petit brin de femme qui vit seule. Elle est étudiante et veut devenir psychologue. Elle me dérange. Elle ne me laisse pas l'approcher. Je veux juste être ami avec elle, dans un premier temps du moins. Elle me snobe. Elle ne voit en moi qu'un vieux croulant. Mais tu ne perds rien pour attendre, Vania. Je t'aurai à l'usure, au *timing* comme on dit, quand tes petits amis encore imberbes ne pourront plus combler la solitude de tes nuits dans cette maison aux toits qui gémissent… Ce ne serait pas une mauvaise idée d'avoir une partenaire à domicile, chacun dans sa chambre, on garde notre intimité, on ne s'embarrasse pas de nos mauvaises humeurs ni de nos mauvaises odeurs.

Cette dernière pensée me rassure. Je rationalise. Tu vois, Rico, tu ne peux pas être homo. Voilà que tu penses à Vania, la petite femme d'en haut qui te met dans tous tes états. Tu anticipes aussi les belles qui te feront la fête à *Ibo Lélé* ce soir. Les petites comme les grandes, les dodues, les maigres, les timides ou les agressives. Tu les sens, tu sais comment les aborder, trouver le point faible de leur carapace, leur talon d'Achille. Tu les aimes, les femmes, tu les as toujours aimées, avec cynisme peut-être, mais toujours consciencieusement. Jeudi soir chez Patrice n'était rien qu'une expérience de plus dans le cours de ta vie. Il faut tout tenter, tout essayer, pour faire des choix, pour savoir qui tu es. Pourtant ce monologue ne me rassure pas. Jeudi soir chez Patrice c'est mon cœur qui bat la chamade chaque fois que j'y pense, c'est la nuit qui me voile les yeux avant de pénétrer dans ce monde à l'intérieur de moi, ce monde auquel j'accède par une chute, une rupture, par un déni de tout ce qui a été moi. Jeudi soir chez Patrice reste gravé dans ma peau comme un stigmate. Jeudi soir chez Patrice c'est un visage pâle, des épaules étroites et des doigts qui ont effleuré ma vie, une vérité que je ne pourrai pas m'empêcher de poursuivre, je le sens, une évidence diffuse que je cherche déjà dans ma mémoire, une expérience dont je voudrais avoir rêvé. Jeudi soir chez Patrice c'est un plaisir qui m'a mis nu jusqu'à l'âme, qui m'a ravagé, me laissant faible comme un enfant, béat comme un ange. Aux petites heures du matin, déambulant dans les rues de la ville, prisonnier du parfum des jasmins et de l'ylang-ylang, j'avais le vertige.

J'ai voulu marcher et suis descendu de voiture à la jonc-tion de Christ-Roi et de l'avenue John-Brown. Sur toute la route, depuis le pays perdu de Musseau où habite Patrice, jusqu'à ma descente de voiture, je n'ai pas échangé un mot avec Huguette. Comme Alice au pays des merveilles, j'émergeais d'un gouffre dans lequel j'étais tombé durant mon odyssée en compagnie du jeune homme au visage de femme. Ce n'était pas le sommeil puisque je gardais les yeux ouverts. Je dirais plutôt une sorte de léthargie pour m'enlever de la tête la réalité dans laquelle je me trouvais. Je ne sais combien de temps je suis resté ainsi dans le noir, recroquevillé sur le canapé. Revenu à mon état normal, je constatai l'absence de mon partenaire... Il était parti en emportant son nom et ma paix.

Huguette conduisait, penchée, la tête touchant presque le volant. Elle luttait contre le poids de la nuit sur ses paupières et les assauts de l'alcool. Pelotonnée contre moi,

Fabiola ronflait doucement. Nous n'avions rien à nous dire. La nuit avait fait main basse sur tous les mots, laissant à l'aube le soin de balayer les débris de la fête. Sophia était restée chez Patrice, elle n'était pas en état de rentrer. Des filles bien au fond, des petites mulâtresses tout ce qu'il y a de plus sympa, sans trop de prétentions. Sous leur apparent snobisme elles cachent une grande peur d'être seules. La demeure de Fabrice est une espèce de terrain neutre où elles peuvent s'éclater, avec les hommes qui leur plaisent, loin des tabous hypocrites de leur société qui verrait comme une hérésie qu'elles couchent avec des mecs à la peau noire. Fabiola est technicienne de laboratoire, Huguette dirige un petit salon de beauté, Sophia jouit des rentes que lui verse son père, un médecin qui a fait fortune dans l'immobilier. Je m'entends bien avec elles. Âmes solitaires en mal de tendresse, comme moi. Nous avons croisé quelques voitures sur la route, des fêtards comme nous regagnant leur tanière. Dans la rue je me suis senti mieux. La fraîcheur vive du petit matin relâchait lentement le cercle qui m'enserrait la tête. Mes pas n'étant pas très sûrs, je marchais lentement. La ville dormait encore d'un souffle paisible.

Pour moi, marcher dans la ville endormie interpelle la paix, la vraie paix. Les chiens n'aboient plus à cette heure. Pelotonnés sur le pas de leur porte, ils me regardent passer en soulevant seulement une paupière indifférente. La lune énorme et froide, juste derrière les arbres, mêlait sa lumière à celle de l'aube. L'heure hybride. J'ai descendu John-Brown, mes pas suivaient le chemin tout seul, ma tête trop chargée ne pouvait leur servir de guide. J'allais, comme chaque fois que je regagne mes pénates au petit matin, m'arrêter au carrefour de la ruelle Robin, devant l'étal de Romaine. A cette heure elle devait sûrement être en train de couler son café. Elle le réussit toujours fort et bien sucré, pour réconforter ceux que la nuit a brisés ou pour infuser du courage aux autres qui partiront affronter le jour. Le café de Romaine met des bastingages à mes aubes vacillantes. Au coin du Pont-Morin, un homme couché dans le caniveau, le corps sur le trottoir, la tête dans la rigole, vomissait son alcool. Après chaque spasme, il déclamait d'une voix fêlée des vers d'une étrange tendresse qui glissaient dans l'aube tels des papillons jaunes. *J'ai peur de frôler vos doigts si bruns, si longs… J'ai peur de vos yeux, de vos regards, de vos sourires, de votre nom parfumé comme un jasmin du Cap…*

Devant Romaine, un couple attendait. Ils semblaient avoir froid. J'ai tout de suite senti dans les yeux cernés de la fille et les mains dolentes du gars l'épuisement d'une longue nuit d'amour. Ils ne se touchaient pas mais échangeaient des regards qui les ramenaient à quelques heures plus tôt, dans les draps anonymes d'un hôtel bon marché. Ils étaient jeunes. Je les lisais comme dans un livre ouvert.

Pouvaient-ils me lire aussi? Moi, un homme à la bonne mise, bon chic bon genre, qui avais quelques heures auparavant bu la nuit jusqu'à la lie? Et puis soudain, au café que Romaine sucrait s'est mélangé le parfum vert de tous les arbres de la rue, de tous les feuillages de la ville. L'angoisse. Me prenant à l'estomac, très fort cette fois. Comme une main de fer autour de mon cœur et de mes poumons. Pouvaient-ils me lire, ces deux jeunes debout devant moi? Je n'arrivais plus à les regarder, de crainte de voir dans leurs yeux le reflet d'un Rico L'Hermitte inconnu. Pas un muscle de mon corps ne bougeait, mais la panique me travaillait de l'intérieur, causant un trébuchement de mon âme. Je partis en hâte, sans attendre le café.

Huit heures pile. Devant mon miroir, j'admire ma silhouette racée. Mes cheveux encore humides jettent des reflets cuivrés sous la lumière de l'abat-jour. Juste une petite touche de parfum pour parachever l'œuvre, subtil, pas de gaspillage. Les bons parfums coûtent de plus en plus cher. Je passe toujours un long moment devant le miroir avant de laisser ma chambre. Je me plais. A trente-neuf ans et dix mois, je tiens le coup. On m'en donne trente-cinq, parfois trente, quand je suis sobre. Mais je sens que les nuits s'accumulent sous mes yeux. Un réseau de veinules affleure sur la peau moins tendue. Une subtile flétrissure, à peine perceptible, confère une fausse douceur à mon épiderme. Le fruit de ma vie mûrit… Bah!… ce n'est rien tout ça… De longues soirées m'attendent encore… Je me plais, ventre plat, pas de double menton. Le fruit mûr est plus juteux, plus savoureux. Voilà… terminée ma petite séance quotidienne de motivation devant mon miroir, avant que ne viennent la peur, le doute, la fatigue. Je dois m'aimer devant mon miroir avant d'étendre mes ailes dans la nuit, cherchant ma proie.

Me voilà prêt à partir. Ah!... j'allais oublier un mouchoir propre et une goutte de parfum là aussi. J'éteins, verrouille la porte, glisse la clé dans ma poche. Je vis dans une pension de famille, dans une chambre de garçon, à l'impasse des Anges, trois maisons avant le coin du Bois-Verna, pas trop loin du Champ-de-Mars. Un bon compromis cette pension. Pas tout à fait en ville, pas tout à fait en hauteur, mais dans la mouvance bourgeoise. Les taxis à portée de l'index. Depuis une vingtaine d'années, les bourgeois ont déserté la ville. Port-au-Prince devient un grand marché qui étouffe lentement sous le flot constant de la migration des provinces vers la capitale. Des débits de produits alimentaires, des écoles, des polycliniques médicales occupent les anciennes résidences. Les quartiers périphériques sont devenus d'immenses ruches humaines. On part habiter Kenscoff et ses environs, pour regarder la misère de haut.

Ma pension est une vieille gingerbread qui aurait besoin de sérieuses réparations. Mais j'aime ces vieux bois d'une autre époque. J'aime ma chambre avec son plafond haut, ses lourdes portes ripolinées fermant avec des crochets et ses fenêtres à persiennes. Je l'occupe depuis près de dix ans. Des familles de rats vivent entre la toiture en tôle et

les faux plafonds. Elle ne veut pas entendre parler de déra-
tisation, la patronne. Dès qu'on lui présente la moindre
doléance, elle parle d'augmenter les loyers. C'est vrai
que les chambres de pension sont rares dans les quartiers
encore décents de la ville, avec trois repas en plus. Alors
on ne se plaint pas trop, les autres pensionnaires et moi.

Dans la salle à manger au plancher recouvert de carreaux rouges, blancs et jaunes, je prends mon souper. Chaque fois que Félix me passe un plat, nous échangeons un coup d'œil complice. La vieille horloge de la pension marque huit heures vingt, mais je crois qu'elle avance d'un bon quart d'heure. Je mange toujours avant de laisser les lieux, avant de m'engouffrer dans le soir. J'aime mieux sortir avec quelque chose dans l'estomac, je ne peux jamais savoir où me conduira la nuit. On mange une bonne cuisine créole dans cette pension. Yaya la cuisinière est l'un des derniers spécimens d'une race en voie de disparition. Je me rincerai la bouche dans le petit cabinet sous l'escalier avant de partir. Les motifs du carrelage s'imbriquent à l'infini et exercent sur moi un effet hypnotique. Je les suis machinalement des yeux et m'y perds parfois. La salle à manger est la pièce la plus chaleureuse de la pension. Mes colocataires sont des hommes du troisième âge, des veufs ou des retraités, des hommes seuls comme moi. Je ne les vois pas souvent. L'heure du souper est pour moi l'occasion de reprendre contact avec le genre humain, en commençant par ceux qui vivent sous le même toit que moi. Je retrouve mes semblables, maître César, l'avocat qui loge à l'étage juste au-dessus de ma chambre, Maître Crispin, l'ancien professeur de mathématiques toujours en pantoufles et bretelles, maître Fortuné dont rien ne justifie le titre puisqu'il n'est ni avocat ni professeur. Peut-être n'a-t-il simplement pas voulu être en reste avec ses colocataires. Félix m'a confié sous le sceau du secret que la patronne ne veut plus le garder car il devient incontinent, il abîme son matelas et l'air de sa chambre est irrespirable. Des vies lasses, des vies cassées, des solitudes peuplées de souvenirs, de remords et de regrets, d'efforts dérisoires pour reculer l'inéluctable échéance. Ils noient tous leurs problèmes dans la politique et suivent les événements avec une régularité religieuse. Bien qu'ils soient chacun intéressant à sa manière, j'évite de passer trop de temps en leur compagnie. Leur décrépitude me pèse. Heureusement que Maman est morte encore jeune. Elle n'aurait pas pu supporter de vieillir, de voir ses chairs s'affaisser, son pas traîner. Son corps était un hymne à la beauté, à la joie des sens, à l'accomplissement. La vie lui a épargné la désespérance et le naufrage du vieillissement.

Huit heures trente. Voilà, j'ai mis le pied dans la rue et la terre m'a accueilli, elle a fléchi les genoux pour me prendre comme on se penche pour soulever un enfant. Je respire bien à fond. Je jette un coup d'œil au-dessus de moi. Les étoiles sont au rendez-vous, je les sens fourmiller sous ma peau. Sur la plaine du Cul-de-Sac une énorme lune rose escalade lourdement le ciel. Une fois dans la rue, dans la nuit, plus rien n'a d'importance pour moi que de respirer la vie à pleins poumons. Je longe l'impasse des Anges, tranquillement, absorbant tous les détails alentour. Il y a toujours quelque chose de nouveau à capter. Je fais bien attention à ne pas salir mes mocassins blancs. Au coin de la rue, Solon, ferme à son poste, débite ses tiges de canne à sucre aux passants. On échange un cordial salut, comme d'habitude. Ils me connaissent tous, Edner, le *caoutchouman,* Francine la marchande de cigarettes et de surettes (elle me donne à crédit), Gesner le cireur de chaussures qui prend ses quartiers au crépuscule, après avoir arpenté les rues du Bas-Peu-de-Choses durant le jour. J'aime les petites gens, leur amitié me rassure. De savoir que la vie m'a de justesse épargné le même sort qu'eux me les rend sympathiques.

Au carrefour de l'impasse des Anges et du Bois-Verna le rythme de la rue monte d'un cran. Les voitures circulent dans les deux sens, leurs phares déjà allumés. J'aime rester un long moment à ce point-là, à regarder la vie aller et venir. Je m'immerge petit à petit dans le soir. Je n'y entre jamais de plain-pied, il faut respecter la nuit, la prendre avec douceur, comme une femme. J'ai encore du temps devant moi pour arriver à ma destination finale. Des filles glissent des regards admirateurs dans ma direction. Cela me plaît, je me sens bien dans ma peau. Pourquoi me suis-je tant fatigué les méninges toute la journée, à ruminer des idées noires, à me culpabiliser ? Où sont-elles à présent ces obsédantes pensées qui m'effrayaient ? Ont-elles une chair, une substance, une consistance ? Non, rien, je ne trouve que des images, des ombres, des illusions. Illusions renforcées sûrement par ce sentiment de désastre pointant à l'horizon du temps. Maman me disait toujours de n'avoir peur que des choses palpables. Les invisibles n'effraient que les invisibles. Mes frayeurs je les ai laissées entre les quatre murs de ma chambre.

Oui, je le sens, les temps changent. Cette affirmation fera peut-être sourire d'autres moins perspicaces que moi. Trente ans de dictature ça s'inscrit dans le sang d'un peuple aussi sûrement que son ADN. Plusieurs générations de citoyens et de citoyennes sont nées sous le soleil totalitaire de l'île. Qui viendrait ébranler cet édifice construit sur le roc du cynisme et de la peur ? Pourtant des voix montent de la masse confuse pour refuser l'inacceptable. Pourquoi maintenant, depuis toutes ces décennies de pourrissement des institutions ? Je ne sais pas... c'est peut-être simplement que chaque chose vient en son temps, et pas avant. Pas plus compliqué que cela... n'en déplaise aux analystes politiques, aux statisticiens forcenés et aux voyants extralucides. Je le sens comme je flaire la fin du jour dans le mouvement de la lumière. Un long crépuscule s'apprête à tomber sur ce pays, je le dis, moi Rico L'Hermitte. La grogne du peuple devient pesante sur la jouissance des nantis et les dérange. Moi j'entends le peuple quand je suis dans la rue. Il n'est pas content le peuple, pas content qu'on ait tué deux enfants, l'autre jour aux Gonaïves. Il ne faut pas toucher aux enfants du peuple. Il y a un trop-plein de quelque chose, quelque part. Nous ne savons pas à quoi nous accrocher. Nos points d'ancrage excentrés fuient vers d'autres terres, d'autres horizons, d'autres illusions. Tiens, Nemours Jean-Baptiste est mort l'année dernière et toute une génération avec lui, même sans le savoir, moi y compris. Je ne le pense pas parce que j'approche de la quarantaine. Mais on a enterré presque dans l'indifférence une partie de ma jeunesse, la plus belle, la plus folle. Les jeunes d'aujourd'hui savent-ils qui était

Nemours Jean-Baptiste ? Un dinosaure, diront-ils avec un haussement indifférent d'épaules. Dans la recherche effrénée de plaisir qui occupe tous les esprits, je perçois le signe d'une fin, la mort lente d'une époque. On presse le fruit pour en extraire les dernières gouttes, les meilleures. Alors, moi, tant qu'il reste des gouttes, je veux les boire à pleine bouche. Tant pis pour les autres. Comme disait le refrain du tube de Nemours Jean-Baptiste, *nou pa konn lè nou te fèt… nou pa konn lè nap mouri… ann pwofite jwi la vi… avèk yon demi twa sodaaaa…*

Je suis toujours au carrefour de l'impasse des Anges et du Bois-Verna. Première étape dans l'itinéraire de ma nuit. La fille qui arrive en face de moi me rappelle drôlement Malou. Même cambrure de reins et même port de tête. Celle-là me paraît cependant un peu plus grande que Malou. Je vois Malou les lundis et je l'accompagne certains soirs où elle a envie de voir du monde. On ne trouve pas plus moderne comme femme. Elle est le prototype de celle qui a réussi sa vie. Propriétaire d'une parfumerie, d'une maison, d'une tout-terrain, de ses opinions, Malou, à trente-cinq ans, ne se fait plus d'illusions. Ses chances de trouver un mari et de faire un mariage d'amour sont minimes, d'ailleurs je doute fort qu'elle souhaite embarrasser sa vie d'un homme à demeure. Ceux qui s'intéressent à elles le font pour son argent, moi aussi. Mais entre nous deux existe une certaine franchise qui m'a plu dès le départ. Elle ne s'est pas embarrassée de faux-semblants et je n'ai pas eu à lui débiter l'un de mes scénarios sur mesure. Nous avons conclu une affaire, profitable pour nous deux. Je suis son homme du moment. Malou couche avec les hommes qui lui plaisent. Et quand ils lui plaisent, elle sait être généreuse. Je me plie à ses fantaisies. A ses yeux, le sexe est une mystique, le moyen par excellence d'atteindre à l'unité sublime, à l'harmonie parfaite avec le cosmos. Alors on suit les préceptes du tantra, avec lumière tamisée, musique douce et fumée d'encens. Tous les goûts sont dans la nature. Ces méthodes ne me déplaisent pas trop. Je n'ai pas le temps de m'ennuyer avec elle, même si je ne la comprends pas la plupart du temps.

Je longe le Bois-Verna. Elles me ravissent les anciennes maisons avec des masses de bougainvillées à leur balcon et leurs tourelles mangées par le lierre. Ces choses d'un autre temps me rappellent aussi Maman. Des fois il me semble l'apercevoir sous l'une de ces galeries, se berçant dans sa dodine, regardant la nuit tomber... Il paraît que la propriétaire de ma pension a mis la gingerbread en vente, le professeur de mathématiques me l'a confié, une lueur d'inquiétude dans les yeux. Je préfère ne pas y penser. La propriétaire ne peut pas vendre la maison, elle ne peut pas liquider des décennies de souvenirs et de sentiments, brader des générations d'émotions. Pourtant, l'évidence est là sous mes yeux. Elles sont rares les antiques maisons qui ne logent pas dans leur rez-de-chaussée une poly-clinique médicale ou une école professionnelle, quand elles ne sont pas carrément obstruées par une affreuse construction en béton qui leur mange leurs allées autre-fois pavées de belles pierres rondes et bordées de massifs de crotons et d'ixoras.

J'ai pris par la rue Carlstroëm pour atteindre le coin de John-Brown. Cette rue est calme, des gamins jouent sur les trottoirs. Une meute de chiens se dispute les faveurs d'une femelle en chaleur. Les bruits étouffés des foyers me parviennent, les nouvelles passent à la télévision. Sur les petits écrans défilent le faste outrancier d'un régime au faîte de sa gloire et l'abjecte misère du peuple. Arrivé au carrefour, je m'immobilise sous les néons du supermarché Econoprix. Il est près de neuf heures du soir. Je ne porte jamais de montre-bracelet, j'ai l'heure dans la tête, je peux toujours l'estimer à quelques minutes près. Vis-à-vis de moi, de l'autre côté de la rue, au fond d'une longue allée, une imposante bâtisse de style ancien abrite un institut de langues. La cloche électrique sonne et une flopée d'étudiants envahit la rue. Ils rient fort, font la course, se tapent dans le dos, heureux. Je me demande à quoi ressemblerait ma vie si j'avais suivi la trajectoire de l'un de ces jeunes, études classiques et professionnelles, petit-boulot-cadre-moyen, mariage-femme-et-enfants. Une vague nostalgie m'habite quelques secondes… mais je la secoue bien vite… non… cette vie ne me conviendrait pas à cause de ma phobie de la routine. Je ne tolère pas non plus les carcans. Et ne me parlez pas de responsabilités… De plus, l'expérience avec Jacqueline m'a définitivement retiré le goût de la vie en ménage. Des Peugeot publiques ralentissent leur allure, à l'affût de quelques passagers, le carrefour est embouteillé pour un moment. Je reste à l'écart, à observer la scène. Une fois le calme revenu dans la rue, je me mettrai un peu plus en avant, à l'extrémité du trottoir, sous les néons. J'attendrai encore un petit quart d'heure, pour tenter ma chance, peut-être qu'une connaissance passera et me prendra à son bord, sinon je monterai dans une Peugeot. A *Ibo Lélé* les soirées de bals commencent à chauffer vers dix heures, dix heures trente. J'aime arriver assez tôt cependant, pour bien me position-ner, étudier l'arrivée de mes amis et savoir à quelle table me mettre. Cette stratégie me profite toujours, car quand la nuit et la boisson prennent chair, les gâchettes devien-nent sensibles. De plus, à la bonne table, la nourriture et l'alcool sont gratuits…

Le carrefour vidé a retrouvé sa sérénité. La rue rede-vient sombre sans la lumineuse présence des jeunes. Il ne reste que les marchands de fleurs de Kenscoff se préparant à dormir à même le trottoir et quelques passants qui traî-nent le pas. Deux putains fraîchement maquillées passent devant moi et me jettent un regard appuyé. Ma mine indifférente décourage leur tentative de racolage. Elles vont se poster un carrefour plus haut pour guetter une Peugeot. J'approche un tout jeune vendeur de fleurs et lui achète un œillet blanc que je fixe à la boutonnière de ma poche de chemise. Je lui glisse un billet de cinq gourdes neuf et crissant dans les mains. Ce soir, je suis d'humeur généreuse. Le marchand n'en croit pas ses yeux et me sourit bêtement de ses dents gâtées. Le parfum capiteux de la fleur m'envahit la tête. J'ai envie de boire tout d'un coup. L'heure de ma soif a sonné. Je pense à ma gueule de bois du matin, à ma promesse de diminuer ma consommation d'alcool. Tout cela ne tient plus devant l'appel de mon sang, devant l'appel de la nuit. Si je trouvais un débit d'alcool dans le coin, je m'enverrais bien quelques godets de clairin, question d'amorcer la machine, d'ouvrir la route à des spiritueux plus nobles. Mais je ne vois rien de tel à l'horizon. Je connais bien un marchand qui vend des trempés solides sur une table à la ruelle Robin, pas loin de Romaine, mais le détour me mettrait en retard par rapport à mon horaire. Je devrai ronger ma soif pour un moment encore. Je repense aussi à ma décision d'espacer mes visites chez Patrice. Retournerai-je là-bas jeudi prochain pour chercher dans la cohue des invités une silhouette que mes yeux redoutent de voir, un corps ambigu qui n'a toujours pas de nom ? Braverai-je la sourde révolte de mon âme en poursuivant ce plaisir nouveau dont l'intensité et la violence m'ébranlent encore ? Les jeudis chez Patrice ne seront plus jamais les mêmes, je le sais, je meurs un peu de le savoir. Mais jeudi est loin. J'ai encore sept jours pour savoir qui je ne suis pas. Ce soir, la vie m'attend et je pars à sa rencontre. Tant qu'il y aura des nuits à brûler, des corps à aimer, des solitudes à combler, Rico L'Hermitte répondra à l'appel.

La soirée avance. Il doit être plus de neuf heures, neuf heures dix peut-être. Il faut me décider à arrêter une Peugeot. Au moment où je m'apprête à le faire, une puissante BMW 525 freine à ma hauteur. Une belle bête rouge, chromes rutilants, jantes étoilées, je m'attends presque à l'entendre rugir. La vitre électrique est actionnée et une voix familière m'appelle : « Hey, Rico !… Rico L'Hermitte ! » J'ai reconnu le major Jean-Pierre Crépiton, un fidèle des vendredis soirs à *Ibo Lélé*. Un beau brun, dans la trentaine, à la fière prestance. Quand il marche on le croirait à la parade militaire. Nous avons beaucoup d'amis communs et souvent je me retrouve à sa table de jeunes loups. J'approche de la voiture, il me fait signe de monter. Je grimpe dans la cabine de la superbe machine. L'intérieur du véhicule est délicieusement glacé. Jean-Pierre presse sur le bouton de commande et la fenêtre se referme. Le froid me ravigote. Nous nous saluons chaleureusement. « Tu montes là-haut ? » me demande-t-il, sans avoir besoin de préciser notre commune destination. « Bien sûr… » je fais, avec un sourire entendu. « Alors tu tombes bien… je passe prendre à Christ-Roi deux magnifiques poupées dont j'ai fait la connaissance ce matin et nous filons vers Pétion-Ville. Mais attention Rico… touche pas à la *grimelle* ! »

Tout le monde connaît la préférence marquée de Jean-Pierre Crépiton pour les belles négresses à la peau claire. Le major glisse une cassette de musique dans le lecteur du tableau de bord. Les saxophones du groupe *Les Frères Déjean* jaillissent des haut-parleurs high-tech. *Naïdé…* j'adore cette chanson. Confortablement installé au fond de mon siège de cuir blanc et doux, je soupire d'aise. La voiture file à vive allure sur Bourdon en donnant l'impression de glisser sur un coussin d'air. Les étoiles chatouillent le pare-brise.

J'ai soif. Comme s'il lisait dans mes pensées, Jean-Pierre extrait de la boïte à gants une flasque, une petite merveille en argent, plate et finement ciselée qu'il m'offre. Le temps de son geste, je remarque pour la première fois sa main parcourue de solides veines et ses longs doigts terminés par des ongles au bout carré. Mon regard glisse furtivement sur ses cuisses écartées de part et d'autre du volant recouvert d'une gaine de cuir sombre. Ses muscles se dessinent bien sous le tissu souple du pantalon… me parlent d'une puissance ignorée. Je les regarde, fasciné, mes yeux remontant à la braguette, vers le renflement diffus qui interpelle déjà mes sens. Je suis gêné, comme si je commettais une grave indiscrétion, mais j'y reviens. Des réactions en chaîne bouleversent mon être. Je sens la présence de cet homme, la vis, la subis au point d'en être suffoqué. Le temps d'un éclair je suis submergé par un besoin d'explorer l'autre côté de ce plaisir auquel je me suis initié la nuit dernière, un trouble besoin de connaître moi aussi la totale soumission à un homme. Mon Dieu, que m'arrive-t-il ? Est-ce bien ce que je veux ? Je ne me reconnais plus du tout. Ma main qui tient la flasque tremble légèrement. Je respire bien à fond et tente de me ressaisir. Mais j'étouffe malgré le froid ambiant. Je dois défaire un bouton de ma chemise. De l'air, de l'air… Voilà… ça va déjà mieux… J'enlève le bouchon, ferme les yeux pour humer le goulot du flacon et reconnais sans hésiter le parfum unique du scotch Jack Daniels vieilli en fût de chêne. Je prends une bonne lampée. Puis une autre… et une autre encore. Me soûler. Ne plus penser à ce qui m'arrive… Pendant que le liquide divin glisse dans ma poitrine comme une coulée de feu, emportant mes angoisses et mes questionnements, je me dis simplement « la vie est belle ». Je tends la flasque au major qui la reprend prestement de peur que je ne la vide complètement, et laisse tomber ma main sur sa cuisse, promenant subtilement le désarroi de mes doigts sur le tissu soyeux. Une interrogation. Et si ?… Mais oui, et si ?!… La vie est belle…

Achevé d'imprimer
sur les presses de Yenooa
à La Roque d'Anthéron, février 2015

Dépôt légal octobre 2005
Imprimé en France